Filosofía
del
tocador

Filosofía del tocador

Marqués de Sade

Grupo Editorial Tomo, S. A. de C. V.
Nicolás San Juan 1043
03100 México, D. F.

1a. edición, agosto 2002.
2a. edición, mayo 2005.

© *Philosophy in the Boudoir*
Marqués de Sade
Traducción: Rafael Rutiaga

© 2005, Grupo Editorial Tomo, S.A. de C.V.
Nicolás San Juan 1043, Col. Del Valle
03100 México, D.F.
Tels. 5575-6615, 5575-8701 y 5575-0186
Fax. 5575-6695
http://www.grupotomo.com.mx
ISBN: 970-666-510-2
Miembro de la Cámara Nacional
de la Industria Editorial No. 2961

Diseño de portada: Trilce Romero
Supervisor de producción: Leonardo Figueroa

Prólogo

Para leer las obras del Marqués de Sade es necesario poseer un criterio muy amplio, ya que puede resultar difícil asimilar lo que plantea. Él habla de una sexualidad "desviada" hacia la perversidad, hacia el placer sensual proporcionado por el dolor ajeno, algo totalmente inconcebible para muchas personas "normales". Pero también implica el estudio psicológico de tal comportamiento desde un punto de vista científico y analítico, para llegar a conocer las causas de dicha conducta y sus efectos.

En las obras del Marqués de Sade nos encontramos ante un tema muy especial: el erotismo, sólo que es un erotismo modificado, llevado hasta extremos increíbles, en los que se vuelve grotesco o inhumano, por lo que se convirtió en el calificativo que ahora se conoce como sádico. Es por esto que muchos han oído mencionar este término; porque se aplica al comportamiento erótico en el cual una persona debe tratar con crueldad a quien la satisface sexualmente para llegar a experimentar el máximo placer. Esta es una conducta por completo "carnal", en la que no intervienen los sentimientos.

Lo que escribió el Marqués de Sade ha sido muy criticado y hasta prohibido, por la cantidad de atrocidades que describe, pero observándolo con ojo clínico podemos darnos cuenta de que él fue quien se atrevió a mencionar por primera vez toda esa gama de relaciones sexuales anormales, es decir, entre personas del mismo sexo, entre adultos y niños, entre seres humanos y animales. Y todo esto ha servido para considerar dichas relaciones como enfermedades, las cuales deben prevenirse o erradicarse.

Resulta indudable que el Marqués de Sade era una persona inteligente, a su manera, ya que además de escandalizar al mundo, aportó ideas valiosas en los terrenos de las ciencias naturales, sociales, económicas, filosóficas y políticas. Era un hombre de letras que leía mucho. Sus escritos originales hacen referencia a muchos de los libros que se encontraban en la *Bibliotheque Nationale* (Biblioteca Nacional), lo que significa que el Marqués de Sade leyó la mayoría o todos los libros que allí había.

En la forma de escribir del Marqués de Sade podemos apreciar el extenso vocabulario que poseía. Su estilo particular al describir las acciones nos sitúa perfectamente en la escena. Nos lleva de la mano, sin darnos cuenta, hacia donde él quiere que vayamos. Llena nuestra imaginación con una gran cantidad de palabras, sin necesidad de repetirlas aunque se refieran a lo mismo. Utiliza distintos eufemismos para evitar la monotonía al momento de nombrar los órganos sexuales, dándoles, hasta cierto punto, un matiz poético.

El Marqués de Sade escribió varias obras en el transcurso de algunos años, una de ellas es *Filosofía del tocador,* la cual concibió para ser representada en el teatro.

Filosofía del tocador tiene un tema muy ameno, cargado de erotismo, filosofía y política. Es la historia de una muchacha que no ha sentido aún en su cuerpo lo que es el contacto sexual con otra persona. Ella está deseosa de sentir tales emociones, así que se pone de acuerdo con una mujer madura y experimentada en el arte de la voluptuosidad y comienza a recibir lecciones prácticas de placer sensual en el tocador de ésta. En la enseñanza intervienen varios hombres, de los cuales uno es el "tutor" que además de hacerla gozar con su contacto, es quien la hace reflexionar acerca de todo lo relacionado con el ámbito sexual.

En esta obra no podía faltar el toque de perversidad tan característico del Marqués de Sade, sólo que aquí es tratado de una manera hasta cierto punto cómica.

Tal vez el Marqués de Sade quiso jugar un poco con los lectores o espectadores de esta obra, pues aunque algunas escenas son por completo eróticas y excitantes, otras son tan disparatadas que provocan risa. Este aspecto lúdico nos muestra una faceta distinta de la personalidad de este controvertido autor.

Pero, ¿quién fue el Marqués de Sade?, ¿por qué escribió este tipo de obras?, ¿en qué momento histórico vivió? Para responder a estas preguntas es necesario analizar su vida.

El día 2 de junio de 1740, nació Donatien Alphonse Francois de Sade, en la provincia francesa de Provenza. Algunos de sus antepasados ilustres fueron Pierre de Sade, primer gobernador de Marsella, Jean Baptiste de Sade, obispo de Cavaillon, y Joseph de Sade, señor de Eiguieres y famoso general francés. El padre, el conde Jean Baptiste Joseph Francois de Sade fue coronel de la caballería ligera del Papa Inocencio XII. Algunos piensan que la abuela paterna, Laura de Sade, fue quien inspiró el soneto más famoso de Petrarca.

A la edad de diez años, Donatien de Sade comenzó a estudiar en el *College Louis-le-Grand*, en París, pero los jesuitas lo expulsaron de allí después de soportarlo cuatro años. Más tarde, su padre lo envió al ejército. A los quince años, Donatien obtuvo el grado de subteniente del regimiento del rey; dos años después fue ascendido a teniente de carabineros; y otros dos años más tarde fue nombrado capitán del Regimiento de Caballería de Borgoña, con el que participó en la guerra de los siete años de Alemania. En 1763, antes de cumplir veintitrés años, renunció al ejército y regresó a París. Allí se casó con Renée-Pélagie Cordier de Launay de Montreuil. Los padres de ambos habían arreglado la boda, aunque Donatien no estaba de acuerdo, pues el prefería a la hermana menor de su prometida, y así se los hizo saber a sus padres, solicitándoles permiso para casarse con ella, pero ellos no aceptaron. Entonces, Donatien tuvo que casarse en la iglesia de San Roque, el 17 de mayo de 1763.

Cuatro meses después de la boda, Donatien fue detenido en París por "excesos en una casa de lenocinio". Lo llevaron a juicio el 29 de octubre de 1763, y lo declararon culpable, razón por la que lo encerraron en el Chateau de Vincennes, de donde salió libre quince días después bajo la custodia de la familia de su esposa.

En el transcurso de los cinco años siguientes Donatien se dedicó al libertinaje. Alquiló departamentos y casas pequeñas en París y en otras poblaciones lejanas. Visitaba los burdeles de Vendome y Pigalle, donde se comportaba con mucho vigor. Se sabe de una carta fechada el 30 de noviembre de 1764, en la que se le pide a una mujer apellidada Brisault que "deje de enviarle muchachas" a Donatien.

El día 3 de abril de 1768, cuando Donatien iba hacia su casa en Ascueil, encontró a una mujer llamada Rose Keller, que pedía limosna. Él le ofreció trabajo como ama de llaves y se la llevó a casa. Al llegar allá, la mujer se dio cuenta de que las ventanas eran dobles y las paredes estaban acolchonadas para mitigar los sonidos. Ella quiso saber la razón, pero Donatien sólo sonrió, y después de mostrarle toda la casa, la llevó hacia el ático a través de una treta.

Existen varias versiones de lo que sucedió en el ático; una de ellas es la que escribió cierta madame du Deffand en una carta que envió al novelista inglés Horace Walpole, el 13 de abril de 1768, la cual decía: "Le ordenó que se desnudara totalmente. Ella se arrojó a sus pies rogándole que la respetara porque era una mujer decente. Él la amenazó con una pistola que sacó del bolsillo y en esa forma la obligó a obedecer. Luego la amarró de pies y manos y la azotó salvajemente. Ya que estuvo toda bañada en sangre, él le aplicó un ungüento en las heridas y la dejó acostada. No sé si le dio de comer y de beber. De cualquier manera, regresó a verla al día siguiente, revisó sus heridas y observó que el ungüento había sido eficaz. Entonces él tomó un cuchillo y le hizo cortadas en todo el cuerpo, volviendo a aplicar ungüento en las heridas antes de irse. La víctima logró liberarse y salió a la calle por una ventana... Dicen que la razón que él tuvo para esa horrible conducta era comprobar si el ungüento servía".

Donatien estuvo preso en Saumur, y luego lo trasladaron a la *Conciergerie du Palais*, en París. Allí aceptó haber cometido ese delito para satisfacer su "curiosidad erótica". Y luego quedó libre al pagar a su víctima 100 libras por daños. La familia de la esposa tenía influencia con el rey Luis XV, y por eso el marqués no recibió un castigo más severo.

En los cuatro años siguientes, Donatien estuvo relativamente tranquilo, al vivir en la finca que tenía su padre en Provenza. Allí nacieron su segundo hijo (el primero nació en París) y su hija. Y allí sedujo a su cuñada, a la que había pedido en matrimonio algunos años antes. Ella fue a Provenza de vacaciones al salir de un convento de carmelitas.

El 27 de junio de 1772, el Marqués de Sade fue a Marsella con su sirviente Latour. Allí organizó una orgía conocida en Francia como "la orgía del bombón cantarídico". Se sabe que hubo un baile al que fueron muchas personas, a las que les dio pastillas de chocolate mezcladas con polvo de cantárida, sustancia que provoca excitación sexual. El baile se convirtió en una orgía al estilo de los antiguos romanos. Algunas personas murieron (según otras versiones nadie murió) a causa de los excesos y otras más sufrieron trastornos.

Donatien de Sade fue juzgado y sentenciado a muerte, en septiembre de 1772, por los cargos de sodomía y envenenamiento, pero al día siguiente se escapó de la prisión y huyó con su cuñada hacia Piamonte, Italia. Allí lo arrestaron y encarcelaron en Fort Miolans, pues el rey de Cerdeña era aliado de Francia.

No se sabe por qué el marqués de Sade no fue enviado a Francia para que lo ejecutaran. Él estuvo preso en Miolans hasta el 1 de mayo de 1773, día en que escapó con el barón de l'Allee hacia Génova. Luego siguió solo y llegó a Provenza, donde se reunió con su esposa, que lo había perdonado.

El marqués de Sade consiguió que un abate llamado Durand le enviara muchachas a su castillo para las orgías. Fue entonces cuando el padre de una muchacha llamada Catherine Trillet, llegó al castillo con la policía; llevaron a Sade a París y lo encerraron en la fortaleza de Vincennes, para que se ejecutara la sentencia de muerte que pesaba sobre él, pero al final se anuló dicha sentencia por falta de pruebas.

A pesar de haberse librado del cargo por asesinato, Sade estuvo preso en Vincennes hasta que el 9 de febrero de 1784, fue trasladado a la Bastilla. Allí fue donde escribió *Los 120 días de Sodoma*.

Más tarde, en julio de 1787, terminó el primer esbozo de *Los infortunios de la virtud*, novela que pensaba incluir en una antología, pero siguió trabajando en ella durante un año y decidió que fuera una sola novela completa. Ésta fue *Justina*, la primera obra del marqués, y la más conocida de todas.

El 2 de julio de 1789, Sade comenzó a arengar a las personas que pasaban cerca de una tronera de la Bastilla. Ya que había reunido a muchas, les gritó un discurso lleno de insultos contra el rey, la reina (a quien llamó *la premiere putain de France*), el gobernador de la Bastilla, y otras personas importantes del antiguo régimen. A causa de este incidente lo llevaron al asilo de Charenton, y por esto no participó el 14 de julio en la toma de la Bastilla.

El 13 de marzo de 1790, la Asamblea Nacional Constituyente emitió un decreto en el que rescindía las *lettres de cachet* que mantenían preso al marqués de Sade. Entonces, el Viernes Santo, 2 de abril, fue puesto en libertad. Al encontrarse sin dinero, el marqués le pidió a un abogado amigo suyo que lo dejara dormir en un sótano. Luego escribió rápidamente una obra de teatro en verso, *Le Suborneur*, que vendió al Teatro Italiano, y otra obra en cinco actos, *Le Misanthrope par Amour ou Sophie et Desfrancs*, que le compró la Comedia Francesa. Para ese tiempo el marqués ya tenía cincuenta años de edad.

En el año siguiente, escribió la única obra de teatro que sería publicada: *Le comte Oxtiern ou les effets du libertinage*, que se estrenó en el Teatro Moliere.

Después hubo una etapa en la que el Marqués de Sade se dedicó a la política, pero en 1793, durante el reinado de terror impuesto por Robespierre, Sade no aprobó las ejecuciones por considerarlas "horribles" e "inhumanas". Después de la caída de los Girondinos, los moderados de la asamblea revolucionaria de 1791-93, Sade fue juzgado por "moderación", y encarcelado en Made-lonnetes, Carmes, Saint-Lazare y Picpus respectivamente. Al año siguiente, el 15 de octubre de 1794, doce semanas después de que ejecutaran a Robespierre, Sade salió libre.

La siguiente obra que publicó fue *La philosophie dans le boudoir* (Filosofía del tocador), en 1795, que contiene el famoso discurso político: "Un esfuerzo más, franceses, antes de que puedan llamarse republicanos". También publicó *Aline et Valcous*, novela de cuatro tomos que escribió en la Bastilla y Vincennes.

En 1797 se publicó *Julieta*, la obra más extensa de Sade, y también una edición revisada y aumentada de *Justina*. A pesar del éxito financiero de sus novelas, Sade no recibió estas ganacias, y en 1798 tuvo que dejar París y mudarse a Beauce, donde alquiló una casa pequeña.

Durante los años de 1798 a 1801, el marqués continuó escribiendo historias. Se le acusó de haber escrito un folleto satírico llamado *Zóloe y sus dos acólitos*, en el que representaba a Josefina de Beauharnais, al barón de Orsec, al vizconde de Sabar y al senador Fessinot —personas en el poder— como juerguistas de una *petite maison* (casa de placer). Aunque después, en 1957, Gilbert Lely demostró que Sade no había escrito ese folleto.

Pero a causa de Zóloe, Sade fue arrestado el 5 de marzo de 1801, y encerrado sin juicio en Sainte-Pélagie.

Allí lo acusaron de seducir a presos más jóvenes, y lo trasladaron a la inexpugnable cárcel de Bicetre. Después, por insoportable, el 26 de abril de 1803, lo enviaron al asilo de Charenton, donde murió el 2 de diciembre de 1814, a causa de una "obstrucción pulmonar".

Así fue como vivió el Marqués de Sade, personaje sumamente polémico, pero que nos legó algo para analizar desde el punto de vista del comportamiento humano.

Personajes

MADAME DE SAINT ANGE, una libertina;

EL CABALLERO DE MIRVEL, su hermano, un libertino;

DOLMANCÉ, su amigo; libertino y sodomita;

EUGENIA DE MISTIVAL, joven virgen deseosa de cambiar de estado;

AGUSTÍN, jardinero de dotes sexuales magníficas;

MADAME DE MISTIVAL, madre de Eugenia;

LAPIERRE, sirviente de Dolmancé, enfermo de sífilis.

Dedicatoria

A los libertinos de cualquier edad y sexo, y de todas las aficiones, a ustedes dedico esta obra. Esas pasiones, que los moralistas fríos y aburridos les piden temer, son únicamente el medio por el cual la naturaleza trata de exhortarlos a que realicen su labor; por tanto, sométanse a esas pasiones, y permitan que los principios que aquí se mencionan los alimenten.

Mujeres sensuales: Imiten a la sensual Saint Ange, acaten las leyes divinas del placer, e ignoren cualquier cosa que vaya contra ellas.

Jóvenes doncellas: Hagan lo que la ardiente Eugenia; rechacen todas las prohibiciones de su religión ridícula, desprecien los preceptos de sus padres obstinados; por el contrario, ríndanse a las leyes de la naturaleza que la lógica describe, a los brazos de los que han de ser sus amantes.

Hombres lujuriosos: Hagan como el bribón Dolmancé; acepten sólo el gobierno de sus deseos, únicamente los límites de la imaginación; y aprendan de él, porque sólo explorando y ensanchando la esfera de sus aficiones y caprichos hallarán el verdadero placer.

A todos: Debemos darnos cuenta de que fuimos lanzados a esta vida de penurias sin nuestro consentimiento, y que desde el nacimiento de nuestra conciencia nos hemos visto asaltados por los sofismas de quienes aprovechan nuestra condición; si queremos disfrutar el momento más breve de placer —si deseamos plantar de vez en cuando una rosa en el rocoso camino de la vida— tendremos que sacrificarlo todo a los pedimentos de nuestros sentidos. Así es la lección de los filósofos del tocador...

Saint Ange
y el Caballero

Escenario: Un salón en casa de Saint Ange. Tocan en la puerta. Entra el caballero.

SAINT ANGE: Buenos días. ¿Dónde está tu amigo Dolmancé?

EL CABALLERO: Pronto llegará, amor mío. Confío en que sabrás refrenar tus pasiones durante una hora o dos. De no ser así, separa tus dulces muslos y déjame complacerte.

SAINT ANGE: Eres demasiado bueno, mi querido hermano... y tan resignado. Pero creo que podré esperar. No desearía echar a perder mi apetito saciándolo sólo contigo, cuando puedo hacerlo en un terceto si aguardo un poco más. Además, Dolmancé pudiera sentirse ofendido.

EL CABALLERO: Que sea como tú quieras, hermana. No tengo prisa. Además, hace tanto tiempo que no hemos estado solos los dos; he extrañado mucho nuestras pláticas tan amenas.

SAINT ANGE: También yo, hermano, también yo. Me parece que mientras más tiempo pasa, más nos apartamos el uno del otro. No cabe duda de que el culpable es el deseo. ¡Si pudiera controlar el mío! Es de suponerse que a los veintiséis años de edad una ya debe tener una posición estable, tranquila; pero mírame: ¿Hay mujer que pueda compararse conmigo en cuanto a libertinaje? Quizá si fuera una lesbiana no resultaría tan alcahueta, pero lo cierto es que me gustan todos y todo. Realmente, nada me gustaría más que combinar todas las especies bajo el sol, y disfrutarlas juntas.

EL CABALLERO: Sí, hermana mía, he conocido la universalidad de tus gustos.

SAINT ANGE: Pero aceptarás que las festividades de esta tarde serán una emoción nueva, incluso para mí. Después de todo, no es común encontrar a un hombre que adore a los de su género al mismo tiempo que nunca cede ante el nuestro, como no sea frente al altar en el que celebra sus ceremonias con los hombres.

EL CABALLERO: ¡Qué coherencia más deliciosa en la metáfora, amor mío! Adoración; altar; ceremonia. Haces honor al lenguaje.

SAINT ANGE: Vamos, vamos, Caballero, estás muy hastiado. ¿No ves lo excitada que estoy? Quiero ser Ganímedes para ese nuevo Júpiter. Quiero conocer sus gustos, compartir sus deleites, someterme a todas las perversiones que pueda imaginar. ¿No es extraño?

EL CABALLERO: En efecto, amor mío. Mucho.

SAINT ANGE: Está bien, dejemos la lingüística. Platícame de Dolmancé, ¿Cómo es?

EL CABALLERO: Pues te diré, querida hermana. Tiene diez años más que tú, es alto y muy bien parecido; tiene los dientes más blancos que he visto en mi vida; sus rasgos son marcadamente masculinos, pero a veces muestra cierto toque de feminidad en los modales... debido sin duda a que representa con tanta frecuencia el papel sexual femenino.

SAINT ANGE: ¿Y es filósofo?

EL CABALLERO: ¿No lo somos todos acaso?

SAINT ANGE: Quiero decir que si cree en Dios.

EL CABALLERO: Claro que no. En verdad es el ateo más diabólico... totalmente corrompido; es un canalla redomado, un ser en extremo perverso...

SAINT ANGE: ¡Oh, hermano!, ¡si supieras cuánto me excita el ateísmo! Creo que me voy a enamorar de él en cuanto lo conozca. Ahora ponme al tanto: ¿cuáles son sus preferencias sexuales?

EL CABALLERO: Tengo la seguridad de que las conoces bien. Es un sodomita que desempeña tanto el papel activo como el pasivo. Casi siempre prefiere a los hombres, pero a veces emplea mujeres que se sometan a sus deseos... los cuales son, como mencionaste, la adoración ante el... altar anal.

SAINT ANGE: El culo, sí. ¡Oh, hermano, cómo me excita esta charla! Dime ¿has fornicado con él? Me atrevo a pensar que un hombre así no podría dejar de enamorarse de tu cara hermosa.

EL CABALLERO: Y de mi potencia, querida hermana. También eso lo ha fascinado. Soy muy potente, como sabes; más de lo que es un muchacho normal de veinte años.

SAINT ANGE: Por supuesto que lo sé. ¿Acaso no me lo has demostrado ampliamente? ¡Cuántas veces han gemido estas piernas por la noche, al recordar cuando ese miembro tuyo enorme se agitaba entre ellas!

EL CABALLERO: Ahora estás combinando las metáforas. Gemido... al recordar...

SAINT ANGE: ¡Qué importa! Responde a mi pregunta acerca de Dolmancé. ¿Has fornicado con él o no?

EL CABALLERO: Hemos... experimentado juntos, sí. No te lo voy a negar. Eres una mujer bastante juiciosa para condenar esos arrebatos.

SAINT ANGE: Pero no eres homosexual ¿verdad?

EL CABALLERO: Yo creía haberte dado suficientes pruebas de lo contrario. No, hermana, no lo soy. Tengo predilección por las mujeres. Pero, al mismo tiempo, no soy de esos individuos impetuosos que consideran que debe responderse con una paliza a las proposiciones de un hombre. ¿Acaso un afeminado es dueño de sus pasiones? ¿Puede cambiar los apetitos que la naturaleza le ha impuesto? No. Siento lástima de aquellos cuyas preferencias son extrañas, pero nunca los insulto. Y si un hombre activo me hace proposiciones, las acepto.

SAINT ANGE: ¿Y hasta dónde llegas?

EL CABALLERO: Hasta el final, claro. No tengo nada de esa petulancia absurda que conduce a algunos hombres a creer que cierta parte del cuerpo es más limpia que otra. Fornico, chupo... y todo lo demás.

SAINT ANGE: ¿Y cobras por eso?

EL CABALLERO: Cuando me lo ofrecen ¿por qué no? Me siento halagado de que mi sexualidad tenga valor para alguien. Únicamente un torpe lo vería de otra manera. Lo malo con este mundo, es que existen demasiadas personas convencidas de que tienen el conocimiento de lo correcto; de que su forma de actuar es la única en que conviene hacer las cosas. Entonces se convierten en Quijotes que cargan sus lanzas contra los molinos de viento de lo anormal, castigando a todo el que piensa distinto a ellos... ¿y por qué? Por miedo, sin duda; por miedo de que su propio modo muy "normal" de hacer las cosas probablemente no sea tan divertido como la perversión de los otros.

SAINT ANGE: Ven, hermano querido, bésame: ¡Me excita tanto oírte hablar así!

EL CABALLERO: Con mucho gusto amorcito.

SAINT ANGE: Ahora, cuéntame mientras estamos aquí recostados: ¿Cómo se conocieron, Dolmancé y tú? ¿Cuáles fueron algunas de las cosas que hicieron juntos? ¿Cuánto las gozaste?

EL CABALLERO: Nos conocimos en una cena en casa del marqués de V... Mientras tomábamos unas copas, uno de los amigos de Dolmancé, que conocía por experiencia el miembro espléndido con que he sido dotado, y que sabía cuánto aprecia Dolmancé ese órgano, insistió en presentarnos. Después de la cena se me pidió que exhibiera mi verga maravillosa. Cuando lo hice, Dolmancé, fascinado, comenzó a besarla con tanta fuerza, que en pocos momentos se fue hinchando hasta lograr un gran tamaño. Ni siquiera el marqués pudo reprimir el deseo de acariciarla.

SAINT ANGE: ¿Entonces te desnudaste completamente?

EL CABALLERO: Tu ingenuidad me hace gracia hermana. ¿Acaso no sabes que una mujer vestida provoca más que la que se desnuda de inmediato? No, permanecí vestido, salvo por el miembro sobresaliente que puse frente a Dolmancé, preguntándole si no tendría miedo de que fuera demasiado dolorosa, a causa del tamaño. "¡Ni un ariete podría lastimarme!" contestó con arrogancia, y con una expresión de burla agregó que yo distaba mucho de ser su compañero mejor dotado. Un poco ofendido por su actitud ante el tamaño de mi miembro, acepté las nalgas que me presentaba y lo penetré con salvajismo, esperando partirlo en dos, pero con gran sorpresa mía la entrada resultó engañosamente fácil y suave; pronto desapareció todo mi miembro; entonces Dolmancé comenzó a menearse estáticamente al sentirme de manera tan firme anclado en sus intestinos, y yo, sintiéndome contagiado por ese placer, lo inundé alegremente con mi semen.

SAINT ANGE: ¡Ay, hermano, si supieras cómo me estás excitando! Permite que me agarre a tu querido miembro mientras continúas platicando.

EL CABALLERO: Es un placer servirte, querida hermana.

SAINT ANGE: *(Agarrándolo)* Te adoro.

EL CABALLERO: Y yo a ti. Bien, como te iba diciendo, después de haber aprovechado las nalgas de Dolmancé como receptáculo, me pidió el privilegio recíproco; yo por mi parte me sentí muy afortunado al aceptar. Cuando se lo dije, Dolmancé mostró con orgullo un miembro duro y muy largo, de unas seis pulgadas de grueso. Mientras tanto, el marqués se había quitado los calzones, y volteándose de espaldas, me rogaba que lo divirtiera a él como había hecho con Dolmancé. Así que los tres nos ensartamos *en brochette*, como dicen, yo ocupando la mejor posición, el centro, y en pocos momentos llegué a experimentar el placer delicioso de lograr un clímax dentro de un hombre, mientras al mismo tiempo otro lo hacía dentro de mí.

SAINT ANGE: ¡Oh, es lo máximo! ¡Lascivia! ¡Lujuria! ¡Sexo! ¡Sexo! ¡Sexo!

EL CABALLERO: Sí, en efecto, querida hermana. Pero no tiene comparación con el placer que siento entre tus muslos femeninos. La dicha que experimenté con Dolmancé —y que sin duda repetiré— sólo es un entremés; nada más me abre el apetito para el verdadero festín que me proporciona tu coño.

SAINT ANGE: Eres muy amable y galante, mi caballero. Y recibirás recompensa por tus metáforas maravillosas. Quiero traer hoy a una doncella.

EL CABALLERO: ¿Qué dices, amor mío? ¿No será imprudente, tomando en cuenta las exigencias que tiene Dolmancé con el género femenino?

SAINT ANGE: Sus exigencias ayudarán a la educación de ella. Es una chiquilla que conocí el año pasado en el convento, y que me gustó mucho. No podíamos hacer nada allí, bajo los ojos celosos de las hermanas, pero prometimos volvernos a ver fuera. Adelantándome a ese encuentro conocí y seduje a su padre, un libertino agradable, y de ese modo arreglé que ella viniera a pasar aquí dos días para descansar de su familia. Ahora le enseñaré el arte de amar.

EL CABALLERO: ¿Pero serán suficientes dos días para educarla en un arte que te ha tomado a ti tantos años perfeccionar!

SAINT ANGE: Estos dos días, mi astuto hermano, no tendrán nada de lo normal. Se le enseñará no sólo por medio de pláticas, sino de demostraciones reales, lección tras lección. Siguiendo ese método la induciré a probar los placeres del arte, y la incitaré a hacer las exploraciones más desvergonzadas y atrevidas. Y a cambio de tu cooperación y la de Dolmancé, arreglaré todo para que puedas gozar su virginidad mientras que a ese agujerito del culo, tan apreciado por Dolmancé, lo disfrute primero él... Y bien, hermano, no dices nada. ¿No te excita pensar en ese plan? ¿No te alegra?

EL CABALLERO: Claro que sí. Estoy callado sólo porque me sorprende el esfuerzo que estás haciendo para lograr la educación de esa muchacha. ¡Qué buen corazón! Por mi parte me sentiré gratamente complacido al representar el papel que me has escogido.

SAINT ANGE: ¿También podré estar segura de la aceptación de Dolmancé?

EL CABALLERO: Te lo prometo. Y te aseguro que no podrías encontrar un maestro tan hábil. Sería imposible que tu pupila resistiera su técnica de seducción; el plan tiene pronosticado un gran éxito... siempre que la muchacha esté de acuerdo, claro.

SAINT ANGE: Por lo que conozco de ella, sé que no retrocederá ante nada.

EL CABALLERO: ¿Y no tienes miedo de que se lo cuente después a sus padres?

SAINT ANGE: No hay por qué preocuparse. El padre está tan contento conmigo, que saldría en mi defensa. Lo tengo perfectamente controlado.

EL CABALLERO: ¡Ah, mujeres! Aun después de verte en función durante tantos años, mi querida hermana, todavía me asombran tus planes ingeniosos.

Nunca se me habría ocurrido a mí tal proyecto. Pero es verdad que olvido el talento que tienes para realizar tus asuntos...

SAINT ANGE: Debo tenerlo. Para poder entregarse sin peligro a placeres tan libertinos como los míos, deben extremarse las precauciones. Si no tuviera cuidado, todo el plan podría fallar por una nimiedad. Y en el caso de hoy, no quiero que exista ningún riesgo de error.

EL CABALLERO: Según parece esta muchacha te ha llamado mucho la atención. Platícame de ella.

SAINT ANGE: Bueno; es hija de un negociante con un gran porvenir, y tan libertino como rico. Su madre es una mujer piadosa de treinta y dos años más o menos. Eugenia ya cumplió los quince, y es la chiquilla más linda que tú o yo hayamos contemplado alguna vez.

EL CABALLERO: Por favor, querida mía, dime más detalles. El color de sus ojos y de sus cabellos, cómo es su piel, sus pechos...

SAINT ANGE: Tiene el cabello oscuro y le cae hasta más abajo de los muslos; su piel es clara y blanca; sus ojos negros y llenos de ternura te enloquecerán. Tiene el cuerpo maduro para su edad; todo en ella es suave y delicioso; sus pechos son pequeños aún, pero responden tan bien a mis caricias como yo a las tuyas. En pocas palabras: Es una criatura maravillosa; los dioses griegos no habrían podido hallar belleza que la superara... pero ¡aguarda!, oigo que llega. Será mejor que te vayas pronto por el jardín; te estaremos esperando cuando regreses acompañado de Dolmancé.

EL CABALLERO: Por lo que me has platicado, no quiero perderme este encuentro por nada del mundo. Dame un beso para que pueda esperar hasta ese momento.

(Ella lo besa, y acerca la mano cariñosamente a la entrepierna de él, que se aleja.)

(Telón)

Saint Ange y Eugenia

Escenario: El mismo salón en casa de Saint Ange. Está sentada examinando su peinado en un espejo de mano. El sirviente anuncia desde afuera: "La señorita Eugenia de Mistival" (Entra Eugenia.)

SAINT ANGE: ¡Bienvenida, pequeña amiga mía! Estoy segura de que entiendes con cuánta ansiedad he esperado este encuentro.

EUGENIA: He tenido los mismos sentimientos, queridísima amiga. Pensé que nunca llegaría. Y, para colmo de males, justo a última hora mi madre empezó a poner objeciones para que saliera sola... pero ha sido suficiente una mirada de mi querido padre para tranquilizarla.

SAINT ANGE: ¡Oh, sí, qué hombre tan fino es tu padre! (Acaricia amorosamente con la punta de los dedos el pecho de Eugenia.) Pero el tiempo es tan poco que podríamos consumirlo todo en pláticas y nada más. No lo desperdiciemos. ¿Recuerdas todas las cosas que prometí enseñarte? ¿Crees que dos días serán suficientes?

EUGENIA: Me he prometido a mí misma quedarme hasta haber aprendido todo lo que sea indispensable, aun cuando eso signifique desobedecer a mis padres.

SAINT ANGE: Muy bien. Ahora permite que te muestre mi tocador, donde tendremos más intimidad y nadie nos molestará. Ven conmigo.

(Se abrazan y salen)

Saint Ange, Eugenia y Dolmancé

Escenario: El tocador de Saint Ange. Ahí está Dolmancé. Entran Saint Ange y Eugenia.

EUGENIA: *(Sorprendida al encontrar un hombre en el tocador).* ¡Cielos! ¡Amiga mía, nos han traicionado!

SAINT ANGE: *(Igualmente sorprendida.)* ¡Qué extraño, caballero, encontrarlo aquí a estas horas! ¿No habíamos concertado la reunión para las cuatro?

DOLMANCÉ: Querida mía, soy el único culpable y acepto toda la responsabilidad de mi falta; pero tu espléndido hermano, el Caballero, ha hablado tan bien de ti, que no podía dejar para más tarde el placer de verte.

SAINT ANGE: Me complace tu impaciencia, claro; pero Eugenia y yo habíamos planeado pasar un rato a solas antes de tu llegada.

DOLMANCÉ: Querida mía, precisamente para evitarlo me tomé la libertad de instalarme aquí mismo. Después de todo, es uno de los principios esenciales de la enseñanza, que los aspectos teóricos de un tema se comprenden mejor si van acompañados de una demostración práctica. *(Pone la mano entre los muslos de ella.)* Desde luego, no te gustaría que fracasaran las lecciones sólo por falta de alguien con quien hacer una demostración...

EUGENIA: Debo decirte, Saint Ange, que estoy muy decepcionada. No estaba advertida de que alguien de fuera participara en nuestros ejercicios. Tome en cuenta el peligro que eso implica. ¿Y si lo supieran mis padres?

SAINT ANGE: Mi querido Dolmancé, ten la amabilidad de disculpar los balbuceos descorteses de esta niña adorable. Ha conseguido el permiso de su familia por medio de engaños; por tanto, su preocupación es comprensible. *(Abrazando a Eugenia.)* Pero infundada, por completo infundada, mi querida chiquilla. Dolmancé es la discreción andando. Es el hombre más gentil, considerado y digno de confianza que hay en el mundo.

EUGENIA: Pero no me gusta. *(Se ruboriza.)* He venido para estar a solas contigo, y la presencia de otros me causa temor.

DOLMANCÉ: Vamos, pequeña; trata de tranquilizarte. Sin duda tu intención al venir aquí no era la de exaltar la castidad; es una "virtud" de la cual puede prescindir el mundo, y ganar con ello. Y me duele ver un cuerpo tierno como el tuyo que no se ha labrado aún por el arado del placer.

EUGENIA: Pero la castidad...

DOLMANCÉ: Hija mía, la castidad es un residuo de la Edad Media; es una cualidad que la sociedad debía haber abandonado desde hace mucho tiempo. Tenemos que pasar un tiempo demasiado corto en esta tierra como para negarnos los únicos placeres verdaderos. La naturaleza nos ha hecho apasionados con un propósito. Permite que te lo demuestre. *(Agarra a Eugenia de la cintura y comienza a besarla.)*

EUGENIA: *(Tratando de zafarse.)* ¡Déjame en paz, hombre horrible! ¡Deja de besarme o me iré de aquí!

SAINT ANGE: Discúlpala, Dolmancé... vamos, Eugenia, escúchame. Es culpa mía que reacciones en esta forma; aún no te enseño el modo correcto de tratar a un caballero. Ahora observa. *(Besa a Dolmancé en la boca de manera indecente.)* Haz lo mismo que yo hago.

EUGENIA: *(De mala gana.)* La verdad no me parece correcto. *(Se pone entre los brazos de Dolmancé; él la besa apasionadamente, con la lengua en la boca.)* ¡Mmmmmmmmmm! *(Se separan.)* ¡Cielos! ¡No puedo creerlo! ¡Es maravilloso!

DOLMANCÉ: ¡Qué criatura tan deliciosa!

SAINT ANGE: *(Besándola del mismo modo.)* ¿Creíste acaso, chiquilla, que iba a permitir que Dolmancé gozara contigo, sin reclamar mi turno? *(Entonces comienzan los tres a besarse con la lengua durante algunos minutos.)*

DOLMANCÉ: Queridas mías, la temperatura ha subido mucho aquí dentro; tal vez si nos quitáramos algo de ropa podríamos continuar más a gusto.

SAINT ANGE: Tienes toda la razón. Eugenia y yo podemos ponernos algunas de mis batas sensuales. Son lo bastante transparentes para ocultar nada más lo que tus ojos no deben ver.

EUGENIA: ¡Los dos me están incitando a cometer los actos más atrevidos!

SAINT ANGE: Sí. (*Ayudándola a desvestirse.*) Es delicioso ¿no es cierto?

EUGENIA: De lo más inconveniente para una muchacha de mi edad... Pero tus besos, señora ¡cómo me excitan!

SAINT ANGE: También a mí. Tus pechos... tan tiernos y blancos... son como flores a punto de madurar.

DOLMANCÉ: (*Mirándole los pechos, pero sin tocarlos.*) Sí, muy bonitos; y prometes placeres más grandes aún en otra parte... placeres que son más excitantes para mis gustos...

SAINT ANGE: ¿Más excitantes?

DOLMANCÉ: ¡Por supuesto, amor mío! ¡Muchísimo más excitantes! (*Al decir esto hace girar a Eugenia para examinar sus nalgas.*) ¡Ahhhhhhhh! (*Y mete la cara entre la hermosa abertura.*)

EUGENIA: Por favor, no hagas eso, caballero. Soy demasiado joven para esos deleites obscenos. Si me respetas, refrena tu ataque a ese fruto que todavía no madura.

SAINT ANGE: Sí, Dolmancé; te suplico que guardes tu deseo para más tarde. Esta chiquilla necesita un poco de enseñanza elemental antes que nada.

DOLMANCÉ: Muy bien, señora, pero entonces voy a necesitar tu colaboración voluntaria. Como he podido darme cuenta, la demostración es la herramienta principal del instructor.

SAINT ANGE: Ya sabes, queridísimo, que además estoy deseosa de colaborar. *(Se desviste.)* Ahora que estoy desnuda ¿no miras cómo me late el corazón?

EUGENIA: ¡Oh, qué cuerpo tan bello, mi querida Saint Ange! Es más perfecto de lo que jamás soñaron los antiguos. Quiero llenarte de besos; mis ojos no se cansan de contemplar. *(Se abalanza con pasión sobre ella.)*

DOLMANCÉ: Mi querida Eugenia, tengo que pedirte que muestres menos pasión y más atención. Tengo que enseñarte una lección.

EUGENIA: Enséñame, entonces... te escucho. Pero, Dolmancé ¿no crees que Saint Ange es muy hermosa? Tan graciosa y jovial. ¿No atrae tus miradas su belleza?

DOLMANCÉ: Querida niña, si no te portas más dócil y atenta tendré que tratarte con rigidez.

EUGENIA: *(Riendo)* ¡Ah! ¡Me asustas con tus amenazas! ¿Qué te propones hacer?

DOLMANCÉ: Te castigaré de esta manera *(besando a Eugenia en la boca)* y quizás eche la responsabilidad a tu hermoso trasero de los errores cometidos por tu cabeza. *(Le golpea las nalgas a través de la fina bata.)*

SAINT ANGE: Basta ya de juegos, Dolmancé. Comencemos nuestras lecciones, pues de lo contrario la pobre Eugenia nunca aprenderá la materia.

DOLMANCÉ: Está bien, ahora mismo comienzo. *(Mientras habla, toca sucesivamente cada una de las partes del cuerpo de Saint Ange.)* Estos montes carnosos que tengo aquí te son sin duda familiares, Eugenia. En distintos círculos los conocen con el nombre de pechos, senos, mamas, chiches, o el término que prefiero: tetas. Pueden ser deleitables para el hombre de muchas formas; puede acariciarlos y sobarlos, o bien besarlos, morderlos y chuparlos; o, como prefieren muchos, puede colocar en el nicho suave que los separa el miembro. La mujer, en este caso, puede al apretarlos con cierta habilidad, excitar el miembro hasta el grado de que él derrame ese dulce licor que es el bálsamo de nuestra vida.

EUGENIA: Caballero ¿hablas de un... miembro?

DOLMANCÉ: Ah, sí, el miembro... pero, en lugar de mencionarlo solamente, ¿no sería mejor que te demostrara sus características?

SAINT ANGE: Si deseas hacerlo, Dolmancé, no seré yo quien te lo impida.

DOLMANCÉ: Maravilloso. Entonces, ¿puedo contar con que participarás en la empresa? Mientras yo me tiendo en el sillón, toma posesión del sujeto en cuestión, y explica sus virtudes a la querida Eugenia.

SAINT ANGE: *(Tomando el miembro.)* Eugenia, querida, contempla la vara de la vida; es un espléndido creciente, el cuerno con el que embisten los hombres. Se le llama miembro, pito, carajo o verga. Y es la fuente principal de los placeres del amor. Posee la facultad admirable de poder penetrar en cualquier parte del cuerpo de la mujer. Los que se conforman con placeres ordinarios suelen meterlo aquí. *(Toca el altar de Venus del cuerpo de Eugenia.)* Sin embargo, suelen encontrarse ahí puertas más misteriosas y deleitosas para los sentidos, *(separa las nalgas de Eugenia y muestra el altar de Sodoma.)* Este orificio brinda placeres más grandes de los que pudiera yo describir. Estudiaremos algunos de ellos con más calma... Ahora continuemos; un hombre puede igualmente escoger la boca, los pechos, las axilas, las corvas o cualquier otro hueco o fisura donde insertar y acariciar el miembro. Sea cual fuere la parte del cuerpo que coopere, al cabo de unos cuantos momentos de agitación, un líquido lechoso, caliente y estimulante se derrama produciendo en el hombre oleadas de placer estático, y llevándolo a un intenso clímax de gozo.

EUGENIA: ¡Qué excitante! ¡Me gustaría mucho observar ese fenómeno maravilloso! ¿Podrías hacerme una demostración para que pueda reconocerlo más tarde?

SAINT ANGE: Todo lo que se necesita es hacer vibrar la mano. ¿Te das cuenta cómo se agita y palpita el miembro bajo la presión? Esos movimientos suelen conocerse por el nombre de masturbación, pero te enseñaremos la palabra puñeta, que tiene mayor uso entre los libertinos.

EUGENIA: ¡Qué emocionante! Y ahora que me has enseñado cómo se hace, Saint Ange, ¿dejarás que yo acaricie ese miembro hermoso? (*Lo agarra.*) Después de todo, esta demostración es para mi beneficio...

DOLMANCÉ: No, no debes interferir, chiquilla; estos juegos me han excitado demasiado; puedes observar qué derecho se ha puesto el soldadito; contempla su orgullosa posición de firmes. Eso indica que el líquido valioso no tardará en derramarse.

SAINT ANGE: Entonces será mejor que nos detengamos un poco, Dolmancé, para no arriegarnos a que tu pasión se vaya a derramar junto con tu semen, y se reduzca la animación de esta conferencia. (*Lo toma de la mano.*) Vamos a desviar tu atención hacia la segunda parte en importancia del cuerpo masculino.

EUGENIA: (*Sin hacerle caso.*) ¿Y las cosas que estoy tocando ahora, Dolmancé? ¿Cuál es su utilidad? ¿Cómo se llaman?

DOLMANCÉ: (*Tan excitado ahora que está sin control, empuja a Saint Ange.*) Técnicamente son conocidos por el nombre de testículos, Eugenia. La gente que pretende tener mucha cultura los llama genitales. Los libertinos los llaman sencillamente huevos. En ellos se crea el semen que acaba de ser descrito, y que, al penetrar en la matriz de la mujer, engendra a la especie humana. Pero una muchacha tan linda como tú no debería preocuparse por concebir; no se ajusta a tu estado. Por tanto, olvida por ahora ese aspecto de la sexualidad, y dirijamos nuestra atención hacia la esencia del asunto: acto sexual. Ya sabes lo que significa eso ¿verdad?

EUGENIA: Sí, he oído cómo lo describen. Pero siempre me he preguntado: ¿No será doloroso para una mujer que algo tan grande como tu miembro penetre a través de un orificio tan pequeño como el que yo tengo?

SAINT ANGE: Siempre es doloroso la primera vez, Eugenia; pero la naturaleza nos ha creado de tal forma, que sentimos el placer sólo por medio del dolor. Muy pronto, con ayuda de nuestro amigo, uniremos la práctica a la teoría, y verás lo que esto significa.

DOLMANCÉ: ¡Pero que sea pronto, señora! ¡Muy pronto! Pues de lo contrario sucumbiré aunque no quiera, y este famoso miembro quedará reducido a nada.

EUGENIA: ¡Oh, déjame ver lo que pasa cuando el semen empieza a derramarse! Permite que contribuya a que fluya, ya he esperado mucho.

DOLMANCÉ: Sí, no faltaba más. Dame el culo, pequeña.

SAINT ANGE: No, Dolmancé, todavía no es hora para eso. Te prometí que la tendrías, pero no antes de haberla merecido mediante tus discursos eruditos. Ahora siéntense y que siga la enseñanza.

DOLMANCÉ: Muy bien. En cuanto a la siguiente fase de la lección, Saint Ange tendrá que masturbar a Eugenia mientras yo observo.

SAINT ANGE: ¡Oh, maravilloso! Esto me complace mucho más. *(Da un beso a Eugenia en la mejilla.)* Colócate en el sofá, querida, y prepárate para este nuevo deleite.

EUGENIA: *(Se recuesta.)* ¡Qué cómoda me encuentro en este refugio! Pero ¿para qué han puesto tantos espejos, amigos míos?

SAINT ANGE: Hay una excitación sensual muy grande en la contemplación de la sexualidad multiplicada alrededor de uno en una variedad infinita de posiciones. Todas las partes del cuerpo se encuentran expuestas al mismo tiempo, y el percibir la combinación magnífica de imágenes aumenta muchísimo el placer.

EUGENIA: ¡Qué idea tan ingeniosa!

SAINT ANGE: Dolmancé, desviste a Eugenia para que pueda contemplar mejor los efectos en los espejos.

DOLMANCÉ: Es una tarea deleitable, querida. *(La desviste y le examina inmediatamente las nalgas.)* ¡Por fin puedo admirar este culo maravilloso con que tanto he soñado! En verdad es mucho más bello de lo que esperaba. Una plenitud de carne tan tersa. ¡Qué elegancia de líneas! ¡Qué fresca palidez del color!

SAINT ANGE: Te traicionas, Dolmancé. Resulta indudable que eres un partidario del culo.

DOLMANCÉ: ¿Puedes culparme? ¡Contempla este altar divino! *(Le brillan los ojos.)* Eugenia, quiero llenarte el culo de besos. *(Así lo hace.)*

SAINT ANGE: Detente, desvergonzado libertino. Si continúas provocando a la muchacha me enojaré contigo.

DOLMANCÉ: Lo único que demuestras son tus celos, Saint Ange, pero creo que sé cómo evitarlos. Voltea tu culo hacia mí para que pueda rendirle las mismas atenciones. *(Le levanta la bata y la acaricia con gusto.)* ¡Oh, qué precioso es angel mío! ¡Un hermoso ejemplo de feminidad! ¡Cuánto me gustaría compararlas a las dos, la fresca doncella y la matrona madura! ¿Podrían colocarse de tal forma que me sea posible admirar al mismo tiempo los dos pares de nalgas?

SAINT ANGE: Con placer, querido. A ver... a ver si este arreglo te complace.

DOLMANCÉ: Perfectamente; es justo como esperaba. Y ahora, por favor ¿quieren poner esos traseros en movimiento, subiendo y bajando al compás, como si respondieran a los embates del placer?... Sí... eso es. Hermoso, espléndido. Una obra maestra del ritmo.

EUGENIA: Nunca había experimentado placeres tan deliciosos. Mi querida amiga ¿qué me haces ahora?

SAINT ANGE: Recuerda, querida, se trata de frotar. Y ahora que lo mencionas, se me ocurre algo más respecto al mecanismo de este órgano deleitable que se frota.

EUGENIA: Sí, te lo suplico. Pero no abandonemos la práctica sólo por el placer de la teoría...

SAINT ANGE: Entonces cambia de posición. Así... esta parte carnosa que estoy tocando ahora se llama coño. Lo abriré un poco para que puedas observarlo mejor. Esta cosa en forma de lengua se llama clítoris; en él se encierra el poder de sensación de la mujer. Es el causante principal del placer, el manantial del éxtasis.

EUGENIA: ¿Puedo tocar el tuyo?

SAINT ANGE: Sí, por favor. ¡Ah, qué bien lo haces, querida mía! ¿Estás segura de no haber experimentado con esto antes? ¡Basta! ¡No puedo resistir más!... Dolmancé, haz algo. Detenla antes de que me ahoguen las caricias de esos dedos hechiceros.

DOLMANCÉ: Contrólate, Saint Ange. Trata de cambiar un poco de posición. Mientras se ocupa de ti, frótala también. Así está bien. Ahora, en esa postura, el precioso trasero de Eugenia se encuentra justo entre mis manos. ¡Qué coincidencia tan afortunada! Creo que voy a frotarla despacio con el dedo... así... ¿qué sientes Eugenia?

EUGENIA: ¡Un placer tan inmenso... que no puedo describirlo!

DOLMANCÉ: Entonces abandónate, querida; abandona todos tus sentidos al placer, sumérgete en esta sensación maravillosa. Deja que tus sensaciones se conviertan en tu dios; sacrifícalo todo a esta forma de vivir, como lo harías en el tipo de "religión" más adecuada.

EUGENIA: No comprendo tus palabras acerca de Dios y religión, pero sé que nunca en la vida había experimentado algo tan placentero. He perdido el sentido de lo que hago y digo. Es como un sueño... un aturdimiento delicioso se ha apoderado de todo mi cuerpo.

DOLMANCÉ: ¡Miren a la niña querida! ¡Ya se viene! ¡Qué éxtasis! ¡Y qué apretón! ¡Pero si casi me arranca la punta del dedo! ¡Cómo me gustaría penetrarla en este momento! *(Se arroja sobre ella.)*

SAINT ANGE: Aguántate un poco más, Dolmancé. Tenemos que continuar primero la educación de esta chiquilla.

DOLMANCÉ: ¡Aguafiestas! *(Desmonta.)* Bueno, Eugenia, como acabas de observar, al final de un prolongado periodo de frotación las glándulas seminales segregan un líquido; esta acción sumerge a la mujer en el placer más intenso. El proceso se conoce como descargar o, más informalmente "venirse". Lo mismo le sucede al hombre, pero en forma más enérgica y notoria. Cuando tu amiga, la tutora, lo indique, me alegrará mucho hacerte una demostración.

EUGENIA: ¡Oh, que sea ahora mismo! Saint Ange, no puedo esperar más.

SAINT ANGE: No, Eugenia; el momento llegará a su debido tiempo. Primero quiero mostrarte un método nuevo para hacer gozar a una mujer. Separa los muslos. Dolmancé, he puesto su trasero frente a ti; que tu lengua demuestre cuánto lo aprecias, mientras la mía rinde homenaje al templo de Venus. (*Los tres se ponen en la posición requerida.*) Eugenia, tu monte es delicioso. ¡Cómo me gusta besar esta carne suave! ¿Puedes describir lo que significa verse atacada por los dos al mismo tiempo?

EUGENIA: ¡Ay, si pudiera!... pero la sensación supera con mucho a la expresión de las palabras. Ni siquiera podría decir cuál de los dos me proporciona el placer más exquisito. (*Se retuerce en éxtasis.*) ¡Ahhhhhh, delicioso!

DOLMANCÉ: Saint Ange, querida, ya que tengo el miembro al alcance de tu mano, hazme el favor de acariciarlo mientras yo beso este culo celestial.

SAINT ANGE: Será un placer, querido Dolmancé.

DOLMANCÉ: Por otro lado, amiga mía, no dudes en meter la lengua hasta la empuñadura. Cuanto más lleno tenga el coño, más le gustará a Eugenia.

EUGENIA: ¡Oh, no lo puedo soportar más, amigos! No me abandonen ahora... estoy a punto de venirme. ¡Oh, me muero! (*Se pone tensa, hasta el límite de la elasticidad de su cuerpo y después se afloja desfallecida.*) ¡Ahhhhhhh!

SAINT ANGE: Bueno, niña mía. ¿Te sientes dichosa con los placeres que te hemos dado? ¿Estás contenta?

EUGENIA: Estoy rendida; agotada, privada de energía y de ganas. Y he gozado cada segundo.

SAINT ANGE: Bueno, Eugenia, sin más comentarios continuaremos con la enseñanza. Ahora quiero comentar rápidamente los aspectos de fecundación del amor físico. Como lo ha dicho ya Dolmancé, no debes preocuparte por esa función; pero debes estar al corriente de las cosas. La reproducción de la especie humana se realiza al unirse la esperma del macho, o leche, con los óvulos que la hembra produce.

EUGENIA: Pero ¿no podría la esperma masculina engendrar sin la intervención de la hembra?

SAINT ANGE: No, querida, me temo que no.

EUGENIA: ¡Qué lástima! Odio tanto a mi madre que me agradaría pensar que no había sido necesaria para que yo viviera. *(Después, apenada por un sentimiento de culpabilidad.)* Quizá debería avergonzarme de esos sentimientos...

DOLMANCÉ: Yo pienso que no. También yo he odiado siempre a mi madre. Cuando falleció no podía haberme sentido más contento.

EUGENIA: ¿Pero acaso ese sentimiento no va contra los valores más sagrados de nuestra sociedad?

SAINT ANGE: ¡Al diablo con la sociedad!, como dicen. Estamos perdiendo mucho tiempo en elucubraciones filosóficas. Continuemos con la instrucción sexual.

DOLMANCÉ: Muy bien, amor mío. No tengo la más mínima intención de aplazar la enseñanza. ¿De qué parte deseas hacerte cargo ahora?

EUGENIA: Quizás, antes de continuar con las lecciones verbales, podría devolver a Saint Ange los placeres que acaba de proporcionarme, y Dolmancé podrá ver cómo me comporto. ¿Qué opinan?

SAINT ANGE: A mí me fascina la idea amor mío. Pero no excluyamos a Dolmancé de todos los deleites sensuales que la empresa promete. *(A Dolmancé.)* Dime, espléndido sodomita: mientras este encanto me frota a mí ¿no te gustaría disponer de mi trasero? *(Le presenta las nalgas.)*

DOLMANCÉ: Con mucho gusto, señora. Y ahora, Eugenia, mi gatita montesa, colócate entre las piernas de nuestra querida amiga y utiliza la lengua del mismo modo que ella usó la suya. Así yo acariciaré tus nalgas mientras le lamo el trasero a Saint Ange. ¡Así! ¡Exactamente! ¿Se dan cuenta de qué perfectamente nos acoplamos los tres?

SAINT ANGE: ¡Santo Dios! ¡Me muero! Dolmancé. ¡Cómo me gusta agarrar tu verga mientras me vengo! ¡Carajo! Por el pene palpitante del destino. Por el coño apretado de la providencia ¡jódeme! ¡Chúpame! ¡Qué divina jodida! ¡Estoy acabada! ¡Arruinada! ¡Todo se acabó! ¡Nunca la he pasado tan bien en mi vida!

EUGENIA: ¡Ah, queridísima amiga... qué feliz me hace el haberte brindado semejante placer!

DOLMANCÉ: Reflexiona, Eugenia, en todo lo que te habrías perdido de no haber retirado tu manto de castidad junto con el resto de tu ropa. ¡La virtud no te llevará a ningún lado en este mundo!

SAINT ANGE: Tienes toda la razón, Dolmancé. Y ya que hablamos del tema, que nadie diga que la mujer virtuosa actúa por amor a Dios. Sus motivos son absolutamente egoístas. Trata de evitar el embarazo y la vergüenza en esta vida, y la condenación en la otra. Eso es todo. Respecto a mí, prefiero sacrificarme a mis pasiones que a mi egoísmo. Al menos de esta forma existe un elemento de honestidad. Además, las pasiones son los componentes legítimos de la naturaleza. Aquel que presta oídos sordos a su voz actúa por estupidez o prejuicio. ¡Basta ya de virtud! Y yo digo: Que se chingue la virtud. *(Las mujeres se ponen otra vez las batas y se recuestan en la cama. Dolmancé se sienta en una silla cerca de ellas.)*

EUGENIA: Pero, Saint Ange, la virtud no es sólo sexual. Se puede expresar de muchas maneras. Por ejemplo ¿qué opinas de la piedad?

DOLMANCÉ: ¡Bah! La piedad presupone una creencia religiosa, y ¿quién cree aún en la religión? Vamos a definir los términos que usamos: la religión es un pacto entre el hombre y su creador, mediante el cual el primero, con su adoración, manifiesta su agradecimiento por la vida que le ha otorgado el segundo.

EUGENIA: No podría expresarlo mejor.

DOLMANCÉ: Pero el hombre sólo es un producto de la naturaleza, por tanto, esa gratitud está mal dirigida. ¿A quién le hace falta un dios?

EUGENIA: Pero ¿no indican los misterios de la naturaleza que existe un autor supremo de todo lo creado?

DOLMANCÉ: No, niña. Mil veces no. Incluso cuando varios de los caminos de la naturaleza puedan parecernos misteriosos, eso se debe solamente al hecho de que nuestra ciencia no está lo bastante avanzada para proporcionarnos explicaciones. Pregonar la existencia de un dios que no puede conocerse, para explicar otras cosas desconocidas, es la insensatez más grande del razonamiento humano. Y aun cuando pudiera demostrarse que el creador de todos los seres ha sido un dios, ahora sería por completo inútil, ya que, habiendo puesto a funcionar la maquinaria y no teniendo nada que ver con su mantenimiento, se quedaría sin nada que hacer.

EUGENIA: ¿Intentas explicar, entonces, que creer en Dios es una ilusión?

DOLMANCÉ: Así es. Y una de las más lamentables.

SAINT ANGE: Esa creencia resulta del miedo en algunas personas, de la debilidad en otras; pero, de cualquier forma, carece de fundamento. Mira el asunto de este modo: Para justificar su reputación, tu dios debería ser bueno y justo por excelencia; pero la naturaleza está compuesta por fuerzas buenas y malas, y el dios suele ser sólo una compensación contra el mal. Entonces, ¿cómo podría un dios bueno crear el mal?

DOLMANCÉ: Algunos quieren explicar esto diciendo que Dios y la naturaleza son una misma cosa; pero la idea es absurda... tan absurda como sería decir que el reloj es el propio fabricante de los relojes. De ser así uno no podría existir sin el otro; ¿y cómo podríamos identificar al agente creador?

SAINT ANGE: Es verdad. Si el principio del movimiento pertenece a la naturaleza; si la naturaleza es capaz, a causa de su energía, de concebir, crear, manufacturar y conservar las distintas fuerzas que existen —hazaña que sin duda merece toda nuestra admiración— entonces no necesitamos un agente ajeno. La característica activa y creadora existe en la naturaleza misma; Dios no es indispensable.

DOLMANCÉ: Y aunque fuera indispensable es, sin duda, un tonto de remate. Creó el mundo un día para amenazarlo al siguiente con la destrucción. Después de crear al hombre, cometió el error de darle poder para ofender a su creador, y después tuvo que sacrificar a su hijo para arreglar las cosas. Pero a pesar de eso no se restableció el orden, y por tal motivo —según lo que nos dicen los curas— ese mismo hijo debe sacrificarse a diario en forma de pan y vino... Bien, por otro lado, consideremos al diablo: es consistente, mantiene la posesión total de sus poderes, y tiene éxito constante en su esfuerzo por seducir al "rebaño" que tanto trata de conquistar su divino adversario; el hombre está indefenso entre sus garras. Ahora, dime: ¿Cuál de los dos —Dios o el diablo— te parece más divino?

EUGENIA: Pero ¿qué dices de la resurrección de Cristo? ¿Eso no significa nada para ti?

DOLMANCÉ: Bueno, hablemos un poco acerca de Cristo... el "único hijo concebido" como creo que le dicen. Si leemos a los profetas, deberíamos haber visto a esa criatura divina aparecer adornada con rayos celestes, bañada en luz refulgente y rodeada de coros de ángeles. Pero no fue así, se manifestó por primera ocasión en el vientre de una ramera vulgar, en una pocilga. ¿Podría existir algo más innoble, más degradante? Y ahora veamos su modo de actuar. Pretende ser Dios mismo, que ha tomado forma humana para salvarnos. También, asegura que demostrará su origen divino por medio de acciones milagrosas que superarán los poderes de la naturaleza. Pero ¿qué es lo que hace realmente? En una fiesta vulgar de bodas transforma el agua en vino, según dicen sus amigos; después otro de sus amigotes se hace el muerto, y el impostor le devuelve la vida; se dirige a una montaña y allí, ante dos o tres de sus seguidores, multiplica unos panes y varios peces hasta que el alimento alcanza para la comida de miles de personas, aun cuando sólo uno de sus acólitos se toma la molestia de informar del hecho, no los que se supone recibieron alimento. Promete la salvación a todos los que le hagan caso y el infierno a los que no lo hagan, pero es muy ignorante pues no escribe nada; habla poco porque es estúpido; hace menos aún, pues no tiene la fuerza suficiente. Y al final, como clímax adecuado a su carrera, deja que lo crucifiquen; soporta tormentos indescriptibles, y su papá, el señor Dios, no lo ayuda en lo más mínimo; muere, al fin, tratado como el peor de los hombres, y entre los proscritos, cuyo digno jefe había sido... ¿Crees en esa resurrección? ¿Piensas que fue entonces cuando su grandeza se mostró al fin? No te dejes engañar. Sus secuaces dispusieron del cuerpo, y entonces su mujer e hijos comenzaron a gritar que se había producido un milagro. Pero los auténticos historiadores de la época no consideraron que el suceso mereciera escribirse. Ahora: ¿puedes imaginar que si hubiera demostrado su divinidad, aquellos hombres sabios —y sin duda egoístas— se habrían atrevido a no mencionarlo?

EUGENIA: Entonces ¿cómo se continuó la leyenda?

DOLMANCÉ: Ésta es mi teoría: Algunos años después, el pueblo de Jerusalén, agobiado por años de despotismo romano, sintió la necesidad de rebelarse. Los apóstoles, al darse cuenta de que se podía sacar ventaja política del asunto, aprovecharon la oportunidad e idearon toda una sarta de mentiras y leyendas acerca de su querido cabecilla difunto. Entonces engañaron al pueblo, y éste terminó creyendo que un sacerdote, al expresar unas cuantas palabras mágicas, tenía el poder de traer a Dios a la tierra en forma de un trozo de pan. Ese culto de la idiotez podía haber sido destruido desde su inicio, si los jefes hubieran respondido ante él con la indiferencia que se merecía. En cambio, lo persiguieron, y creció hasta convertirse en una multitud de inconformes. Por supuesto, la minoría engañada se ha convertido para esta época en una mayoría de engañados, pero los absurdos que admiten siguen siendo los mismos. Así que no permitas que la acción popular influya en tus opiniones, Eugenia: adopta un criterio firme e independiente, y atente a él.

EUGENIA: Lo que acabas de decir ha cambiado por completo mi criterio, Dolmancé. De hoy en adelante despreciaré a ese dios y su religión. Ya sólo son para mí objetos de repulsión.

SAINT ANGE: Te has expresado con valor, Eugenia. Pero debes mostrarte más decidida aún. Júrame que no volverás a pensar en ese dios, que no lo invocarás otra vez en momentos de angustia, y que —mientras vivas y respires— no lo buscarás de nuevo.

EUGENIA: *(Arrojándose contra el pecho de Saint Ange.)* Lo juro, pero sólo en tus brazos, querida amiga. Sé que lo haces sólo por mi bienestar.

SAINT ANGE: ¡Bravo! Otra alma arrebatada a la perfidia de la religión.

EUGENIA: *(Dirigiéndose hacia Dolmancé.)* Pero, mi buen amigo, puesto que la discusión de las virtudes te orientó hacia el examen de las religiones, ahora regresemos a la primera pregunta: ¿no pueden existir algunas virtudes ordenadas por esa religión que nos conduzcan hacia la felicidad, aun cuando neguemos la existencia de Dios?

DOLMANCÉ: Vamos a equilibrar el asunto. ¿Qué sucede con la castidad? ¿Has encontrado en esa virtud absurda algunos de los placeres que acabas de conocer en el vicio? Y como resultado ¿estás dispuesta a privarte de todas las funciones naturales a cambio de la satisfacción inútil de no haber sucumbido nunca a una "debilidad"?

EUGENIA: No, ya no siento ninguna inclinación a permanecer casta; ustedes me han enseñado lo vano que es practicar esa virtud. Pero existen otras, Dolmancé: ¿la virtud altruista de la caridad, por ejemplo, no podría proporcionar felicidad a las almas sensibles que la practican?

DOLMANCÉ: La caridad, Eugenia, nace del orgullo, no del altruismo. El que practica la caridad se sentiría muy ofendido si no disfrutara del halago de los demás. Quiere que le aplaudan por su generosidad, pues de no ser así haría sus donaciones en forma anónima. Además, Eugenia, debes comprender las consecuencias que tiene la caridad: Acostumbra a los pobres a recibir dones y, de esa manera, contribuye a que no tengan energías para hacer otra cosa. Cuando alguien sabe que le van a dar limosnas, no trabaja; entonces, cuando dejan de darle dinero, como no sabe por cuál medio podría obtener más, se convierte en pordiosero o ladrón. La mejor forma de liberar a Francia de sus pobres sería interrumpir la distribución de limosnas y cerrar todos los asilos. Entonces los indigentes, nacidos en la pobreza, tendrían que cuidarse y hacer acopio de sus recursos internos para poder salvarse del estado en que nacieron; el resultado sería una nación formada sólo por personas que se bastaran a sí mismas. Pero hoy en día consienten y miman a los pobres y ¿cuál es el resultado? Que las criaturas pobres fornican y agregan nuevas criaturas pobres a nuestra población creciente, y esas nuevas criaturas también fornican y aumentan otras más, y así hasta el infinito.

SAINT ANGE: Dolmancé tiene toda la razón, Eugenia. No existe nada más peligroso para la sociedad que las instituciones de caridad; a ellas debemos, lo mismo que a las escuelas públicas y gratuitas, el terrible desorden en que vivimos. Debes prometerme que no darás nunca limosnas; porque de hacerlo sólo te perjudicarías a ti misma y a la sociedad, fomentando en los pobres su persistencia por mantenerse en el estado de dependencia despreciable en que viven.

DOLMANCÉ: Existe una gran sabiduría en mostrarse parco en los sentimientos hacia los demás. ¿Por qué hemos de preocuparnos por cosas que no nos importan? Además, la apatía es agradable. Lo ideal, por supuesto, sería no cometer más que daños; pero como no siempre se puede hacer, todavía nos queda la perversidad estimulante de no hacer nunca el bien.

EUGENIA: ¡Ah, maldición! Nunca me había sentido tan excitada por una conversación en toda mi vida. Juro que preferiría morir que dejarme incitar a realizar un acto de caridad.

DOLMANCÉ: Has entendido bien lo que te he dicho hasta ahora, mi querida chiquilla, pero todavía falta mucho más por decir acerca de la naturaleza de la virtud. Por ejemplo, no hay acción que sea del todo virtuosa, como tampoco totalmente criminal; el valor de una acción depende del momento y de la geografía; pasearon triunfalmente a las mujeres en las calles de la Babilonia pagana, y ellas recibieron honores por haber realizado gran cantidad de actos de fornicación que, en la España de la inquisición, hubieran merecido el potro del tormento. ¿Ves ese hombre a quien conducen al patíbulo? Se ha permitido tontamente entregarse en París a una antigua virtud japonesa: la sodomía. ¿Observas a ese prisionero italiano y a ese aristócrata chino? Han llegado adonde ahora se encuentran leyendo el mismo libro: *La filosofía de Confucio*.

EUGENIA: Pero yo creo que deben existir algunas acciones tan peligrosas y malvadas de por sí, que en el mundo entero todos deben considerarlas criminales.

SAINT ANGE: Estás en un error, querida; no existe ninguna; ni el robo, ni el incesto, ni el homicidio, ni siquiera el parricidio.

EUGENIA: ¿Significa eso que tales horrores los toleran algunos pueblos?

DOLMANCÉ: No solamente los toleran, amor, sino que los alaban como auténticas hazañas. Y también hay lugares en que ven a nuestras virtudes de bondad, caridad, castidad, etc., sólo con repudio.

EUGENIA: Pero ¿cómo hay quien pueda creer que la castidad es un vicio? ¿Dónde está el crimen? ¿A quién le hace daño?

SAINT ANGE: ¡A toda la humanidad! La naturaleza misma de la mujer consiste en ser lasciva, como la perra; debe pertenecer a todos los que la quieran; por tanto, es un crimen contra la naturaleza dedicarse sólo a un amante; sus instintos protestan contra esa conducta.

EUGENIA: Pero ¿y qué sucede con el papel de la mujer en el matrimonio? ¿No debe, a causa del pacto conyugal, sentir cierta responsabilidad y devoción hacia su esposo? ¿No está obligada a serle fiel?

SAINT ANGE: Cualquier mujer, ya sea soltera, casada o viuda, sean cuales fueren las circunstancias, vive con una finalidad únicamente: la de practicar actividades de libertinaje desde la mañana hasta la noche; con ese propósito fue creada por la naturaleza. Imagina, Eugenia, a una muchacha como tú misma, que apenas ha salido del hogar de su padre; sabe poco y ha experimentado menos aún. De pronto se le exige que se entregue a los brazos de un hombre a quien nunca ha visto con anterioridad. Está obligada a prestar juramento de obediencia y fidelidad al primer hombre que se le presenta. Demasiado inexperta para valorar con madurez, se encuentra sin embargo atada por su promesa; encadenada de por vida si la cumple; condenada por la sociedad si la olvida. De cualquier forma, sólo le queda la desesperación. Ésa es la encrucijada absurda en que la sociedad ha colocado a la mujer. ¿No es la rebeldía la única reacción aceptable?

EUGENIA: Bueno, pensemos que el matrimonio impone una carga demasiado injusta a las mujeres. ¿No debe una mujer, a pesar de todo, considerar la impresión que sus actos pueden causar en sus hijos? ¿No son suficientemente valiosos su orgullo y su respeto para imponerle cierta represión?

SAINT ANGE: ¡Al carajo su orgullo y su respeto! De cualquier manera, todos estamos encaminados hacia la muerte, y en el cementerio el vicio y la virtud no se distinguen entre sí. ¿Acaso piensas que nuestros supervivientes se preocuparán de que hayamos vivido una vida "virtuosa"? Para entonces lo más probable es que el significado de la virtud haya cambiado; así que no vale la pena preocuparse por ella. El pobre tonto que se pasa la vida sin disfrutar la dicha perece sin recompensa.

EUGENIA: Casi me han convencido por completo de que rechace todos los conceptos de virtud y moral, pero todavía deseo escuchar más opiniones. Cuéntame, Saint Ange, ¿cómo has podido satisfacer todos tus deseos aun viviendo, al menos en apariencia, dentro de las restricciones del matrimonio?

SAINT ANGE: He tenido la fortuna de casarme con un hombre que sólo me impone las exigencias mínimas en cuanto a mi tiempo y mi libertad; así es como he podido aprovechar cualquier oportunidad de abandonarme a mis impulsos. En total, durante mis doce años de casada, he tenido trato sexual con más de diez mil personas diferentes; y entre mis relaciones se considera que es una cifra bastante pequeña.

EUGENIA: ¡Magnífico! ¡Sencillamente magnífico! Y sin embargo, resulta extraordinario que hayas podido hacerlo durante tanto tiempo sin quedar embarazada. ¿Podrías explicarme con detalle los distintos medios por los cuales puede lograrlo una mujer? Pienso que seguiría tus pasos para estar segura de no correr el riesgo de un embarazo no deseado.

SAINT ANGE: Una muchacha corre el riesgo de tener un hijo sólo cada vez que permite a un hombre penetrarla por el coño, pues ése es el único conducto hacia la matriz, donde se produce el embarazo. Entonces, para estar a salvo de peligros, basta con evitar el placer en esa parte, y limitarse al cultivo de otros deleites. Sin embargo, si —como sucede a veces— te arriesgas al coito, y como consecuencia al embarazo, se puede poner con facilidad remedio al problema.

EUGENIA: ¿Quieres decir, mediante un aborto?

SAINT ANGE: Así es. Y no tengas escrúpulos morales acerca de la destrucción del producto de tu vientre; es una falacia pensar que sería un delito; después de todo, somos dueñas de lo que llevamos dentro, y no hacemos más daño al destruir un tipo de materia que al destruir otro. Más bien considera que el hijo es un tumor maligno —como la causa de una enfermedad— y libérate de él utilizando la medicina correcta.

EUGENIA: Pero ¿y si el niño está ya casi a punto de nacer?

SAINT ANGE: Incluso cuando el niño hubiera nacido ya, todavía tendrías derecho a destruirlo. Las madres han disfrutado siempre de una libertad intransferible sobre sus hijos; ninguna raza ha dejado de reconocer el hecho, pues está basado en la razón y establecido como principio. Pero no hablemos más de abortos, pues el medio de evitar embarazos indeseables es tan agradable que no vale la pena arriesgarse por una pequeña diferencia de sensación. De todas las alternativas existentes, opino que la que ofrece el culo es la más placentera. Pero dejaré que Dolmancé se extienda sobre ese tema, pues está mejor preparado que yo para describir una afición en cuya defensa empeñaría la propia vida, si así lo requiriera.

DOLMANCÉ: Bueno, no es para tanto, Saint Ange. Pero admito que la sodomía goza de mi predilección, pues he considerado que de todas las entradas sexuales posibles, no hay ninguna más agradable. Y también, por fortuna, no me pongo muy exigente en cuanto al sexo de mi pareja, y como resultado he podido adorar al mismo tiempo los culos de hombres y mujeres.

EUGENIA: ¿No podrías tener la amabilidad de disertar un poco respecto a esa técnica?

DOLMANCÉ: Será un placer para mí, amor mío. La posición que por costumbre asume la mujer es la de acostarse boca abajo en la cama, con las piernas bien abiertas; el hombre, después de haber humedecido convenientemente el orificio, inserta su miembro lenta y deliberadamente hasta que llega al tope; después de lo cual, habiendo retirado todas las espinas, sólo quedan las rosas del placer.

SAINT ANGE: ¿Puedo interrumpirte un momento, Dolmancé, para hacerte una pregunta? Se trata de saber qué tan llenos o vacíos deberían estar los intestinos del amante para proporcionar a ambos el placer más intenso.

DOLMANCÉ: Prefiero que estén llenos; en realidad, para mí lo mejor es que mi pareja esté a punto de defecar, para que mi miembro pueda penetrar profundamente en las heces y encontrar así un lugar más estrecho donde refugiarse.

SAINT ANGE: Yo supongo que tu pareja habrá de sentir bastante incomodidad, y podría ser que hasta dolor, y entonces su placer sería menos intenso...

DOLMANCÉ: ¡Al contrario! Es imposible que alguno de los dos sufra cualquier dolor. ¡Sólo pueden ser transportados ambos al éxtasis más increíble!

EUGENIA: Vislumbro un destello muy extraño en tu mirada, Dolmancé...

SAINT ANGE: Es que el hablar de su altar predilecto lo ha incitado a... orar.

DOLMANCÉ: En efecto. Vamos, Eugenia, dame el culo.

EUGENIA: Pero las instrucciones...

DOLMANCÉ: *(Con firmeza.)* No dejaré que me detengas por más tiempo. Esos bollos elásticos que tienes me han estado atormentando todo el día. *(Se abalanza y la agarra con ambas manos de las caderas.)* Dame ese culo, perrita. Te voy a partir en dos.

EUGENIA: *(Trata de escapar, pero aun cuando sus piernas se mueven, su cuerpo está quieto entre los brazos de él.)* ¡Ayúdame, Saint Ange! ¿Qué voy a hacer?

SAINT, ANGE: Sucumbir, pequeña ¿qué otra cosa?

DOLMANCÉ: *(Metiendo la cara en el pubis de ella.)* ¡Oh, qué maravilloso! ¡Por el miembro y los huevos de Dios! ¡Estoy ardiendo de pasión, chiquilla! ¡Ardiendo!

SAINT ANGE: Por favor, Dolmancé, vamos a proceder con un poco de orden. Tienes la oportunidad de poseerla como se te antoje... pero no seas un cerdo tratando de realizar todos los actos sexuales al mismo tiempo.

DOLMANCÉ: *(Soltando a Eugenia.)* Sí, tienes razón, Saint Ange, No debo dejarme llevar en esa forma. Entonces, Eugenia, vamos a recostarnos ¿no? Y en vista de que no tienes nada mejor qué hacer, Saint Ange ¿por qué no nos haces compañía? Estoy seguro de que encontrarás un lugar en nuestros juegos.

EUGENIA: ¿He comprendido bien? ¿Estás dispuesto a utilizar a una tercera persona en la sodomía? ¿No lo impide la misma mecánica del acto?

DOLMANCÉ: Al contrario, hermosa niña. Ven, yo te enseñaré... Bueno, Saint Ange, pon atención a los arreglos: Yo me acuesto aquí, y por detrás de ella le meto la verga en el culo. Eso te deja a ti el coño; confío en que no tendrás problemas para averiguar lo que puedes hacer con él.

SAINT ANGE: Ningún problema, amigo mío. Tendida a lo largo de ella, en dirección opuesta... así... puedo acariciarla con la lengua mientras ella hace lo mismo conmigo. *(Se pone en la posición mencionada y entra en actividad.)*

EUGENIA: ¡Oh, Saint Ange, esto es increíble! Pero, Dolmancé, ese monstruoso miembro tuyo... me temo que no cabrá.

DOLMANCÉ: ¡Qué tontería, pequeña! ¡Si ayer mismo se lo metí a un niño de siete años, y medía la mitad que tú!

EUGENIA: Pero dolerá...

DOLMANCÉ: El dolor, amor mío, se mezcla muy despacio con el placer, y antes de que te des cuenta sólo experimentarás el éxtasis auténtico. Ahora prepárate.

EUGENIA: *(Se ladea.)* ¡Cielos, Dolmancé!

DOLMANCÉ: Aprieta los dientes, niña; sólo es cosa de un momento...

EUGENIA: *(Gimiendo.)* ¡Ay, pero duele...!

SAINT ANGE: Ánimo, chiquilla, ánimo.

EUGENIA: Me está desgarrando. ¡Oh, Dios misericordioso!

DOLMANCÉ: Vamos, ahora... Ya está dentro hasta la mitad...

SAINT ANGE: Pide fuerza a Satanás, pequeña, nunca al otro individuo.

DOLMANCÉ: Chúpale el coño, Saint Ange, eso la distraerá del dolor... ¡Oh!, aguanta, Eugenia, aguanta ahora... ¡Ya está todo adentro! ¡Adentro hasta la empuñadura!

EUGENIA: Estoy repleta, Dolmancé. Estoy llena... pero aún no siento esa metamorfosis de que hablabas. Todavía me duele, y no siento ningún placer.

DOLMANCÉ: Paciencia, chiquilla, paciencia. Quizá si cambiamos de posición... Saint Ange, acuéstate de espaldas con Eugenia encima... eso es... ahora mete la cabeza entre sus piernas y dale otra buena lamida a su coño... Mientras tanto yo embestiré este maravilloso culo... pero con la lengua, para lubricarlo antes del próximo asalto fálico... así. Espléndido, una posición magnífica. Parecemos una empanada ¿verdad?

SAINT ANGE: ¿Te gusta, Eugenia?

EUGENIA: Es increíble, Saint Ange. Su lengua está tan caliente... como la tuya. ¿Y tú, Dolmancé? ¿Lo estás gozando?

DOLMANCÉ: ¡Oh, pequeña, es glorioso! *(Con melancolía.)* En verdad sólo me falta una cosa...

SAINT ANGE: *(Intrigada.)* ¿Qué puede faltarte, Dolmancé?

DOLMANCÉ: Un miembro dentro de mi culo, Saint Ange... Bueno, no se puede tener todo al mismo tiempo. Cambiemos nuevamente de posición, y voy a lanzar otro ataque contra esa fortaleza inconquistable... Eugenia, acuéstate de lado, dándome la espalda. Saint Ange, asume la postura del "sesenta y nueve" que tanto se ha practicado a través del tiempo... Así está bien. Ahora vamos a poner lo que falta. Acerca las caderas, Saint Ange, para que pueda alcanzarte... Eso es... En esta posición te puedo chupar el culo mientras mi verga entra en el de Eugenia. ¿Qué tal es esto de eficaz?, ¿eh?... Bueno, pues comencemos. *(La tarea se ha iniciado.)*

SAINT ANGE: ¿Te duele menos esta vez, Eugenia?

EUGENIA: Un poco menos. Pero me da pena darme cuenta de que no contribuyo activamente al placer de ustedes.

SAINT ANGE: ¿Por qué no tratas de chupar el miembro de Dolmancé?

EUGENIA: Porque es imposible, mi buena amiga, puesto que lo tengo metido en el culo.

DOLMANCÉ: Muy bien, vamos a cambiar otra vez. Empezaba a sentir que convendría descansar un poco. *(Se deshace la posición.)* Ahora, supongamos que frotas primero el miembro. Eugenia... así se hace. Podría ser con un poco más de ritmo, si no te importa... pero con cuidado, no cubras la cabeza con tus dedos. El soldadito necesita aire para respirar... Mucho mejor. Ahora jala un poco hacia adelante. ¿Te das cuenta cómo se facilita la erección? Bueno, ya está en su estado correcto. Ahora acércate y tómalo con la boca.

EUGENIA: *(Haciéndolo.)* ¿Así?

DOLMANCÉ: Exactamente, chiquilla. ¡Y qué boca tienes! ¡Deliciosa! Ahora toma el miembro entre los dientes y muerde un poco. ¡Así se hace! ¡Ah, es maravilloso, pequeña! ¡Qué placer! ¡Por el omnipotente miembro de Dios padre! ¡Por el semen glorioso de Zeus!

EUGENIA: ¡Qué blasfemias más extrañas! ¿Para qué sirve un lenguaje tan raro en momentos como éste, Dolmancé?

DOLMANCÉ: Mi dulce niña: Hay pocas cosas más deleitables para un ateo que profanar esa ficción religiosa repugnante. Y si la profanación se realiza en el momento de conseguir esos placeres sexuales que el detestable culto prohíbe, entonces mucho mejor... Pero basta de plática. Tengo que salirme de esa linda boca tuya antes de depositar dentro todo mi cargamento. Regresemos a nuestra posición inicial. *(Reasumen la posición.)* Veamos, Eugenia, ¿sientes más suave la penetración ahora?

EUGENIA: Un poco...

DOLMANCÉ: Entonces, prepárate para un ataque vigoroso...

EUGENIA: ¡Ah, Dolmancé! ¡Ah, qué dolor!... ¡Ahh, pero ya va pasando...! ¡Ah, Dolmancé, la metamorfosis! ¡Ah, el placer!

DOLMANCÉ: ¡Oh dulce verga estirada de Neptuno... también yo! ¡De prisa, Saint Ange! ¡A tu lugar! ¡Acomódate rápido!

EUGENIA: ¡Ah, Dolmancé! ¡Ah, mi dulce, dulce Dolmancé!

DOLMANCÉ: ¡Dame el culo, Saint Ange! ¡Pronto! Así... ¡Ah, cómo me gusta lamer a una mientras penetró a otra!

EUGENIA: ¡El placer me está matando! ¡No puedo soportarlo!

SAINT ANGE: Blasfema, entonces. Blasfema y maldice. Eso aumentará tu placer.

EUGENIA: ¡Maldición, maldición!

DOLMANCÉ: Utiliza palabras más fuertes, chiquilla. Puedes decir: "¡joder!"

EUGENIA: ¡Joder! ¡Ah, joder! ¡Oh, joder! ¡Jode, Dolmancé! ¡Jode! ¡Tú... yo... joder!

SAINT ANGE: Hablas como una veterana, Eugenia... y ¡Ah, Dolmancé, lo que me está provocando tu lengua! ¡Estoy lista para venirme yo también!

DOLMANCÉ: ¡Y yo! ¡Qué increíble resulta esto, queridas mías! ¡Los tres alcanzaremos juntos al clímax!

EUGENIA: ¡Jode, digo! ¡Joder! ¡Joder!

DOLMANCÉ: ¡Ah, por la fabulosa lanza de Satanás! ¡Por el coño de Kali!

SAINT ANGE: ¡Dulce Jehová puñetero!

EUGENIA: ¡Digo jode! ¡Jode!

DOLMANCÉ: ¡Por los huevos de San Pablo!

SAINT ANGE: Me muero... ¡Me vengo! ¡Estoy jodiendo!

EUGENIA: ¡Jode!

TODOS JUNTOS: ¡Ahhhhhhhhhhhhh, carajo, qué placer!

DOLMANCÉ: *(Respirando fuertemente ahora que todo pasó.)* Bueno, debo reconocer que algo como esto no se logra muy a menudo. Por Satanás... ¡esta chiquilla me ha dejado seco!

EUGENIA: Y no se ha desperdiciado una sola gota. Bésame, querido maestro, y ten la seguridad que tu esperma ha encontrado un refugio en lo profundo de mis entrañas.

DOLMANCÉ: La pequeña es deliciosa, Saint Ange.

SAINT ANGE: ¡Y qué manera de venirse! Ese coño mordedor que tiene por poco me arranca la lengua.

(Tocan a la puerta)

EUGENIA: Escuchen: ¿qué es eso?

SAINT ANGE: Quizás algún sirviente descarado.

(Otro toque)

DOLMANCÉ: Tranquilas, palomitas. Reconozco el toquido. Saint Ange, creo que llega tu maravilloso hermano. Que entre...

(Telón)

Saint Ange,
Eugenia, Dolmancé
y el Caballero

Escenario: El mismo. El caballero, ya desvestido, se une a los que están en el tocador.

SAINT ANGE: Eugenia, permite que te presente a mi queridísimo hermano, el Caballero de Mirvel. Mi buen hermanito, te presento a la señorita Eugenia de Mistival.

EL CABALLERO: Es un placer, niña. (*Le besa la mano.*)

EUGENIA: El placer es mío, caballero.

DOLMANCÉ: Bueno, ya basta de conversación. Hay trabajo que hacer.

EL CABALLERO: ¿En que parte de la enseñanza te encuentras ahora, impaciente amigo mío?

DOLMANCÉ: Apenas acabo de llenar con mi miembro todo el culo de esta chiquilla adorable. Ahora, con tu ayuda, quisiera demostrar ante sus ojos cómo se llevó a cabo el proceso en sus intestinos.

EUGENIA: *(Contemplando el miembro gigantesco del Caballero.)* ¡A fe mía, Caballero! Es como una pierna más. ¿No estarás pensando penetrarme a mí, verdad?

EL CABALLERO: No tengas miedo, amorcito. El órgano no tocará la catedral mientras no se haya ensanchado lo necesario para dejarlo pasar.

SAINT ANGE: Es suficiente, Caballero. Ya es bastante malo que tenga que soportar tus asaltos sexuales; no martirices también a la infeliz haciéndola escuchar tus metáforas.

DOLMANCÉ: Amigos míos: Debemos platicar un poco menos y dedicarnos más a la acción. ¿Cómo va a aprender algo esta pobre chiquilla si nos quedamos sentados discurriendo todo el día?... Vamos, Caballero, siéntate junto a mi lado y muestra tu miembro; Eugenia y Saint Ange, acuéstense exactamente frente a nosotros... Así está bien. Ahora, Eugenia, pon atención: Voy a friccionar al Caballero... o, mejor dicho en lengua romance, voy a hacerle una puñeta. Mientras tanto, para que no te quedes sin recibir alguna sensación mientras se realiza el proceso, Saint Ange te frotará.

SAINT ANGE: Pero, Dolmancé ¿no estamos muy cerca unos de otros?

DOLMANCÉ: Yo pienso que no. Quiero empapar a esta querida chiquilla con la esperma de tu hermano. Para ese intento, cuanto más próximos estemos, mejor... Ahora bien, Eugenia, a medida que se desarrolle el proyecto, contempla el miembro fabuloso del Caballero, y piensa que está tratando de penetrar en tu interior; imagina, si quieres, que se ha abierto paso a través de tu culo y tus intestinos, y que está encontrando el camino hacia tu estómago donde, en cualquier momento puede hacer erupción, como el Vesubio. La imaginación es otra manera más de aumentar el placer, y muy pronto lo comprobarás.

SAINT ANGE: ¡Ah, Caballero, cuánto quiero a este Dolmancé, y cómo me gustan sus discursos famosos! Y no pierde ni un segundo. Mira cómo te ha estado jaloneando desde el momento en que comenzó a hablar.

EL CABALLERO: ¿Cómo podría no haberme dado cuenta de lo que hacen esos dedos expertos?

DOLMANCÉ: Bueno, es bastante normal que un hombre sea más experto que una mujer en cosas de este tipo, sobre todo cuando se han tenido años de experiencia con el miembro propio antes de agarrar el de otra persona.

EUGENIA: ¡Ah, Saint Ange! Se puede decir lo mismo de ti. Apenas han transcurrido unos instantes desde que comenzaste a frotarme y ya me siento a punto de venirme.

EL CABALLERO: Resiste, chiquilla. Te lanzaré mi jugo para mezclarlo con el tuyo dentro de un momento.

EUGENIA: ¡Piadoso Satanás! ¡Mira ese miembro! ¡Cómo se hincha! ¡Apenas puede Dolmancé estrecharlo con la mano!

SAINT ANGE: ¡Qué maravillosa escena! Y pensar que hay quienes prefieren ir a la ópera...

EL CABALLERO: ¡Duro, Dolmancé! ¡El instante se acerca! Hermana, inclínate hacia delante para que pueda acariciarte mientras corre el fluido... ¡Ah, qué divinos pechos! ¡Qué muslos tan firmes y redondos!... ¡Ah, ya llega el momento! ¡Apunta, Dolmancé!

DOLMANCÉ: Le apunto a la nariz, como dicen.

EL CABALLERO: Entonces, dispara.

DOLMANCÉ: *(Dirigiendo el chorro de esperma hacia la cara de las dos mujeres, en especial hacia la de Eugenia.)* ¡Justo en el blanco!

EUGENIA: ¡Oh, amigos míos! ¡Esto me está ahogando! ¡Qué caliente está! ¡Qué pegajosa! ¡Y que sabrosa al paladar!

SAINT ANGE: Tranquila, dulce niña. Te voy a embadurnar toda con ella.

DOLMANCÉ: *(Sigue inundándola.)* Frótale con ella el clítoris. Eso acelerará su orgasmo.

SAINT ANGE: *(Haciéndolo.)* ¡Ah, bésame, Eugenia! ¡Bésame un millón de veces! Mete la lengua en mi boca y deja que te la chupe. ¡Te amo, chiquilla! ¡Ah carajo! Yo misma me vengo. ¡Ah, Caballero, frótame!

DOLMANCÉ: ¡Vamos Caballero, frota a tu hermana!

EL CABALLERO: Preferiría penetrarla. Todavía me quedan municiones.

DOLMANCÉ: Eres un abismo sin fondo. Ya has arrojado un litro entero hasta el momento. ¿Y te queda más todavía?

EL CABALLERO: Digamos que es la fuente de la juventud...

SAINT ANGE: Frótame, Caballero... ¡por compasión! ¿Tienes que pasar el tiempo siempre conversando?

EL CABALLERO: Está bien, dame el culo. Tengo miedo de moverme y echar a perder la puntería de Dolmancé.

EUGENIA: ¡Qué diluvio! ¡Continúa chorreando!

SAINT ANGE: Muy bien, hermano. ¡Ah, qué sabroso se siente! Voy a venirme...

EUGENIA: ¡Yo también lo siento! ¡Ah, joder! ¡Joder, joder!

DOLMANCÉ: *(Agarrando ahora su miembro con la mano que le queda libre.)* ¡Magnífico! Vamos a venirnos todos juntos. ¡Ah, joder!

TODOS JUNTOS: ¡Ahhhhhhhhhhhhhh, qué placer!

(Poco a poco se separan, uno por uno)

DOLMANCÉ: Muy bien, Eugenia, hemos agregado otra experiencia a tu caudal de información sexual. Has presenciado el orgasmo de un hombre. Lo que ahora quisiera es mostrarte cómo orientar el chorro en la forma que lo he dirigido yo del Caballero hacia ti.

SAINT ANGE: Pero, ¿no será mejor que los dos descansen un poco para estar de nueva cuenta listos y llevar a cabo otro ejercicio de éstos?

DOLMANCÉ: Ahí está el problema. Bueno, si pudiéramos reclutar a otro compañero —tal vez un joven robusto que trabaje en la casa— un portero, un hortelano o un jardinero...

SAINT ANGE: Tengo al muchacho que les conviene.

DOLMANCÉ: ¿No será ese lavaplatos que he visto al pasar por la cocina? ¿Ese joven fornido de unos dieciocho o diecinueve años, con un bulto en los pantalones que mide la mitad de este muslo?

EL CABALLERO: Quiere decir Agustín. Le cuelga como el de un toro; debe tener unas doce pulgadas cuando no está levantado.

SAINT ANGE: Trece pulgadas y media cuando está quieto, hermano. Y diecisiete cuando está parado. Y lo grueso, por si te interesa, mide nueve y tres cuartos.

DOLMANCÉ: Eso no es un miembro ¡es un edificio!

SAINT ANGE: Voy a llamarlo. Lo verás tú mismo. *(Se pone una bata y echa a andar hacia la puerta.)* Eugenia, mantén un dedo caliente sobre esa rajita tuya. Ahora es cuando va a comenzar la diversión ...

(Sale Saint Ange.)

(Telón)

Saint Ange, Eugenia, Dolmancé, El Caballero y Agustín

Escenario: El mismo. Dolmancé, el Caballero y Eugenia están sentados. Entran Saint Ange y Agustín.

SAINT ANGE: Amigos míos, les presento al miembro más grande del mundo occidental... y la mente más chica. Contemplen al imbécil, a Agustín. Dime, cerdo estúpido: ¿eres tan tonto como pareces, cierto?

AGUSTÍN: Bueno, quizás... pero soy más listo que antes.

DOLMANCÉ: ¡Es grandioso! Lo que digo, grandioso. Aquí tenemos un pedazo de mierda. Pero, muchacho, me han dicho que tienes una verga que es algo increíble en verdad. ¿Quieres tener la bondad de exponerla ante nosotros?

AGUSTÍN: ¿Qué quiere decir esa palabra... exponerla...?

DOLMANCÉ: ¡En verdad que es tonto! Sácala, pobre idiota, sácala.

AGUSTÍN: Como mandes, señor. (*Desenfunda la mons-truosa arma.*)

DOLMANCÉ: ¡Por Lucifer! (*La toma en la mano y se queda contemplándola con incredulidad.*) He corrido ante culebras más pequeñas.

EL CABALLERO: Dime, Saint Ange. ¿Hay algunas que sean más grandes?

SAINT ANGE: No que yo sepa.

DOLMANCÉ: Ni yo. (*La acaricia.*) Ni en caballos, ni en toros ni en jirafas...

SAINT ANGE: Tiene que existir una desproporción universal entre los sesos y las vergas.

EL CABALLERO: Un momento, por favor. Siempre me he considerado un tipo inteligente.

SAINT ANGE: Y lo eres, Caballero. Pero tu miembro formidable, comparado con el de este mozo, es como un pedo ante un vendaval.

DOLMANCÉ: Bueno, no nos salgamos del tema. Después de todo, hay que dar una lección. Eugenia, si recuerdas, antes de que nuestros amigos se pusieran histéricos contemplando este miembro prodigioso, te prometí enseñarte cómo dirigir el chorro de semen. Primero quiero que te acerques a este muchacho y le quites los pantalones.

EUGENIA: (*Lo hace.*) ¿Así?

DOLMANCÉ: Muy bien. Ahora, sosteniendo ese fuste grandioso en una mano, con la otra le bajarás las piernas del pantalón hasta las rodillas... eso es.

Después levántale la camisa más arriba del ombligo para que tengas lugar suficiente donde trabajar... muy bien. Ahora permíteme que te recuerde que la naturaleza ha decretado que la mujer sea lasciva y que, por tanto, debe obedecer a sus impulsos. Haz cualquier cosa que se te antoje para producirle placer a él, y si soy buen juez en cuanto al tamaño del órgano, te verás recompensada con ríos de jugo inigualados hasta el momento.

EUGENIA: *(Acariciándolo.)* ¿Está bien así?

DOLMANCÉ: Muy bien. Después mientras utilizas una mano con la verga, usa la otra con el culo... así. *(Lo demuestra.)* Y recuerda que no debes cubrir la cabeza de la verga. Debe permanecer libre... así está bien. Pero, ¿y tu boca? Que no permanezca ociosa, amor mío. Ponla a trabajar en su vientre y sus muslos para lograr un efecto total más grande... ¡Sí! ¡Así se hace!

AGUSTÍN: Señor, si no te importa, me gustaría besar a esta chiquilla.

SAINT ANGE: ¡Pues bésala, idiota! ¡Bésala! ¡No necesitas que te inviten!

AGUSTÍN: *(La besa con gran fuerza.)* ¡Oh, qué boquita tan linda! ¡Qué bonita; qué caliente y redonda es! *(Mete la lengua profundamente.)*

DOLMANCÉ: ¡Miren cómo se está poniendo!

EL CABALLERO: Aparentemente es un hombre que sabe utilizar la boca.

DOLMANCÉ: ¡Miren como cobra vida esa verga! ¡Me deja pasmado!

SAINT ANGE: Las instrucciones, Dolmancé. ¡Recuerda!

DOLMANCÉ: ¡Ah, sí! ¡Ejem! Ahora, Eugenia, tus movimientos se han vuelto demasiado irregulares, amor. Tienes que jugar con él siguiendo determinado ritmo... Eso es... ¡Caramba! Contemplen esa verga maravillosa. ¿Estás segura de haberla medido exactamente, Saint Ange? Me parece que mide más de diecisiete pulgadas.

SAINT ANGE: Justo diecisiete, Dolmancé. Y nueve y tres cuartos de grosor.

DOLMANCÉ: Bueno, tendré que comprobarlo. Da la casualidad que tengo una cinta de medir en el bolsillo... Siempre la llevo conmigo; no sabe uno cuando puede saltar la liebre... entre otras cosas.

EL CABALLERO: ¡Muy bien, Dolmancé! ¡Es un bonito juego de palabras!

DOLMANCÉ: ¡Espléndida verga! *(Midiéndola.)* Exacto diecisiete. Tienes razón, Saint Ange. Pero apostaría a que si me pusiera a chuparla alcanzaría diecinueve o veinte en un momento.

SAINT ANGE: Las instrucciones, Dolmancé. Las instrucciones.

DOLMANCÉ: ¡Ah, sí! ¡Maldita sea!... Ahora, Eugenia, continúa trabajando con la culebra, niña; sigue bombeando. Así se hace. ¿Observas que la cabeza está tomando un color violáceo? Eso significa que está a punto de venirse. Mueve ahora la mano con más vigor, y al mismo tiempo húrgale el culo con los dedos.

AGUSTÍN: Dile que me bese también, señor.

DOLMANCÉ: Y besa también al bobo. No es capaz de besarte por voluntad propia. Potrillo estúpido. Ni siquiera sería capaz de ponerse al abrigo cuando empezara a llover... pero ¡qué bonita verga!

SAINT ANGE: Las instrucciones... Dolmancé.

DOLMANCÉ: ¡Ah, sí! El entusiasmo es contagioso ¿no es cierto Saint Ange?

EL CABALLERO: Escúchame a mí, Eugenia. Todos los demás parecen haber perdido la cabeza... Besa a Agustín mientras sigues masturbándolo. Eso es... Ahora, lista. ¿Ves cómo tiembla? ¡Está a punto de venirse!

AGUSTÍN: *(Dándole de besos.)* ¡Ah, señorita! ¡Ah, dulce niña! ¡Te amo! ¡Oh, Dios!

DOLMANCÉ: ¡Miren cómo se viene! ¡Es un géiser! ¡Nunca había visto algo semejante! ¡Un verdadero manantial de semen!

EL CABALLERO: Más rápido, Eugenia. Frótale más fuerte.

DOLMANCÉ: ¡El primer chorro ha saltado diez pies, seguramente! ¡Qué poder! ¡Qué fuerza!

EL CABALLERO: Sigue adelante, Eugenia.

AGUSTÍN: ¡Siento tan sabroso que me parece que me muero!

EUGENIA: Y yo también. Me parece que se me va a desprender la mano, Caballero.

EL CABALLERO: Sigue bombeando. Hay que resistir, chiquilla, hay que resistir.

DOLMANCÉ: ¡Es un verdadero río! ¡Nunca he visto nada igual! Hace que el Caballero parezca un aficionado. ¿Y dices que has jodido con este mozo robusto, Saint Ange?

SAINT ANGE: Precisamente la noche pasada.

DOLMANCÉ: A fe mía es un milagro que puedas caminar.

SAINT ANGE: (*Mirando con ensueño en el vacío.*) Y la noche anterior; y la anterior a ésa.

DOLMANCÉ: ¡Es increíble! Pero estoy seguro de que nunca lo has hecho con el culo.

SAINT ANGE: Todo el tiempo.

DOLMANCÉ: ¿Cómo has podido aguantarlo? ¡Qué libertinaje! Dudo que yo pudiera sacármelo.

EL CABALLERO: No te costará nada sacarlo; lo que te resultaría difícil sería metértelo en el culo.

SAINT ANGE: Lo podrías hacer, Dolmancé. El secreto está en tener flojo el esfínter. En no apretarlo.

DOLMANCÉ: Tendré que hacer la prueba... si tengo valor. Miren... todavía no ha dejado de venirse.

EUGENIA: Caballero, si no termina pronto se me va a dormir el brazo.

EL CABALLERO: Bueno, ya está terminado. Vean como disminuye el chorro.

DOLMANCÉ: Sí, los chorros ya sólo son de seis pies en vez de diez.

AGUSTÍN: ¡Ahhhhhhhhhhhhhh, qué placer!

EUGENIA: Por fin ha terminado. Cielos, estoy bañada con su jugo.

DOLMANCÉ: Magnífica demostración. Espléndida en todos los aspectos. Y ahora, para celebrar el éxito de la empresa, hagamos un apareamiento unificado... de nosotros cinco.

EL CABALLERO: ¿Tan pronto con Agustín?

DOLMANCÉ: No te preocupes. Tendré de nuevo dura esa verga con dos o tres caricias. (*Agarra el miembro del mozo.*) ¿Lo ves? ¡Vean la reacción! Manos a la obra, Caballero, supongamos que tú estableces la combinación.

EL CABALLERO: Está bien, Dolmancé, sigue adelante con ese inmenso carajo, metételo en el culo. Al mismo tiempo, introduce tu verga en el culo de mi hermana, y yo la joderé por delante. Eugenia preparará las vergas antes de la inserción, y así podrá estudiar los diversos detalles de cada conexión sin tener que asumir la responsabilidad de una participación directa... Bueno. ¿listos todos?

DOLMANCÉ: Vamos, Saint Ange; empecemos tú y yo nuestro acoplamiento.

SAINT ANGE: (*Presentándole las nalgas.*) Aquí me tienes, Dolmancé. Espero tus instrucciones.

DOLMANCÉ: ¡Oh, qué culo! La naturaleza se ha superado al crearlo. Pero... déjame que lo chupe primero. *(Así lo hace.)*

EL CABALLERO: Muy bien, Dolmancé, continúa con el proyecto. Nos tienes esperando.

DOLMANCÉ: Como digas, señor. Contempla esa verga; cumple con tu deber delicioso.

SAINT ANGE: *(Al recibir el ataque.)* ¡Ay, Dolmancé, manejas una herramienta malvada!

DOLMANCÉ: No hay nada que supla a la experiencia. Y puedo manifestar que, a pesar de toda la que tengo, nunca había disfrutado un receptáculo más fascinante.

SAINT ANGE: Viniendo de ti, considero que es un verdadero cumplido. *(Meneando las caderas con fruición.)* ¡Ay, amor, si supieras cuánto tiempo he deseado que me espoleara un invertido!

DOLMANCÉ: Por favor, madame, nada de referencias carentes de tacto en cuanto a mis aficiones. El término correcto es "sodomita".

SAINT ANGE: Pido disculpas.

DOLMANCÉ: Las acepto.

EL CABALLERO: ¡Dios mío! ¿No quieren los dos dejar de platicar y seguir adelante? Me estoy cansando de esperar.

DOLMANCÉ: Paciencia, Caballero. Es una virtud esencial.

EUGENIA: Si es una virtud no tenemos nada que hacer con ella en nuestra esfera.

SAINT ANGE: *(Soltando la carcajada.)* ¡Qué chistosa es la niña! ¡Ay, Eugenia, te amo más que a mí misma! Ven acá y deja que te bese el coño. *(Así lo hace.)*

EL CABALLERO: Está bien, Agustín. Ahora te toca a ti unirte a la compañía. Eugenia, frótalo un momento para que esté listo para Dolmancé... No, chiquilla, eres muy tímida; aprieta más fuerte el miembro... Así está bien. Ahora, Agustín tienes el culo de Dolmancé frente a ti. ¡Haz tu deber!

AGUSTÍN: ¡Cristo, qué agujero tan grande!

DOLMANCÉ: Así te recibirá mejor, mi robusto y joven gañán. Adelante... ¡Gran Lucifer! ¡Menudo garrote blandes! ¡Nunca he recibido ninguno de tal magnitud!... ¡No, no te detengas! ¡Empuja, mi buen amigo! Lo voy a recibir todo en seguida... Dime, Eugenia, ¿cuántas pulgadas quedan afuera?

EUGENIA: Unas tres, señor.

DOLMANCÉ: ¡Entonces tengo catorce adentro! ¡Por Cristo! Me parece que ha llegado hasta mis pulmones... Ahora ven, Caballero. Ya es hora de que te juntes. Dame tu verga y yo te ayudaré a lograr la unión incestuosa. *(Así lo hace.)*

SAINT ANGE: ¡Ah, maldición! Estar empalada por los dos lados al mismo tiempo... ¡Cuánto compadezco a la mujer que nunca lo ha probado!

EL CABALLERO: ¿Estamos todos bien colocados ya?

SAINT ANGE, AGUSTÍN y DOLMANCÉ: Ya.

EL CABALLERO: Muy bien, ahora vamos a poner la máquina en movimiento. Muévanse, compañeros, y recuerden que cada meneo proporciona un placer inmenso, no a una persona, sino a otras tres.

EUGENIA: ¡Menudo espectáculo! Es una brocheta humana.

AGUSTÍN: Ven acá, señorita. Frota tu coño conmigo mientras nos movemos.

SAINT ANGE: Estoy casi lista... ¡Ah, carajo! ¡Qué acometidas! ¡Tres veces el maldito joder del Todopoderoso! ¡Ahóguenme, amigos míos!

EL CABALLERO: ¡También yo! ¡Qué se abran las represas! ¡A joder, todos!

DOLMANCÉ: ¡Joder, joder! ¡Oh, maravilloso joder! ¡Por todos los santos sodomitas y los ángeles culones del cielo! ¡Por los huevos de Dios! ¡Por los testículos de Santo Tomás! ¡Por el culo de San Andrés! ¡El coño de Santa Teresa! ¡Por la rajada de Santa Catalina!

AGUSTÍN: ¡Dios mío! ¡Me parece que voy a estallar!

EL CABALLERO: ¡Ya me vengo! ¡Ahhhhhhhhh! ¡Ah, dulce jugo maldito!

JUNTOS: ¡Ahhhhhhhhhhhhhh, sexo!

(Se separan y se dejan caer en las sillas y en el sofá.)

EUGENIA: Amigos míos, nunca sabrán como me han inspirado hoy. No quiero de ahora en adelante hacer nada que no sea pecar y joder.

DOLMANCÉ: Me complace que hayas dicho "pecar", querida niña, porque es un aspecto del placer tan grande como joder. Al fin y al cabo casi cualquiera puede joder, pero hace falta ser un libertino legítimo para encontrar deleite en hacer el mal por placer.

EUGENIA: Pues eso es precisamente lo que quiero. Creo que cometeré un crimen.

SAINT ANGE: ¿Qué crimen, nenita?, ¿un robo?, ¿un asalto?

EUGENIA: *(Sonriendo con perversidad.)* Un asesinato.

DOLMANCÉ: Comienzas por arriba...

SAINT ANGE: ¿Y has escogido una víctima?

EUGENIA: *(Sonriendo con mayor perversidad aún.)* Mi madre.

DOLMANCÉ: ¡Oh, Saint Ange! ¿Qué más podrías pedir? La niña querida es una alumna tan aventajada como pudiera desearla cualquier maestro... ¡Mírala ahora! Eugenia, tienes en el rostro la expresión del éxtasis. ¿Qué te sucede? ¿Qué sientes?

EUGENIA: *(Sorprendida.)* Mi querido Dolmancé, creo que estoy a punto de venirme otra vez. Sólo el pensar en esa maldad ha revivido todos mis sentidos. Es como si me estuviera masturbando.

DOLMANCÉ: ¡Querida niña! ¡Estás logrando un orgasmo mental! ¡Qué imaginación tan viva!

EUGENIA: Ahhhhhh, ya se acerca.

DOLMANCÉ: Vamos, deja que te lama el culo para ayudarte. Caballero, únete a la pareja y chúpale el coño. Y Eugenia, a blasfemar, niña, a blasfemar.

EUGENIA: ¡Ah, maldición! ¡Carajo! *(Lo dice y cae en brazos del Caballero.)* Ahhhhhhhhhh.

DOLMANCÉ: Bueno. Ahora vamos a realizar otro proyecto múltiple. Agustín, mi lindo bobalicón, no te ocultaré mis intenciones; llevo media hora contemplando tu culo; quiero empalarlo mientras el Caballero me toma por detrás; entonces tú le chupas el culo a Eugenia, y Saint Ange le lame el coño. ¿Todos estamos de acuerdo?

JUNTOS: Sí.

DOLMANCÉ: Pero antes, con el fin de que Eugenia esté en el estado de ánimo debido, voy a darle a su hermoso trasero unos cuantos latigazos. *(Toma el látigo de debajo de la cama y empieza a azotarla.)*

EUGENIA: *(Retorciéndose de dolor.)* Señor, protesto; esta ceremonia no tiene más objeto que el de satisfacer tu propia perversidad. Aceptaré someterme de buena gana sólo por esa razón, pero no seas hipócrita diciendo que lo haces por mi bien.

DOLMANCÉ: *(Azotando con placer.)* Pronto cambiarás de opinión, chiquilla; espera a que estos golpes provocativos corten esa dulce carne tuya.

EUGENIA: *(Retorciéndose de dolor.)* Me someto, señor, pero sólo siento dolor.

SAINT ANGE: Yo te vengaré, mi niña. *(Toma otro látigo y comienza a azotar a Dolmancé.)* Toma esto, villano.

DOLMANCÉ: Gracias, madame, me estás haciendo un gran favor. En cuanto a ti, Eugenia, observa que practico lo que predico. Te pido ahora que tengas algo de fe en mí y pronto verás que tus dolores actuales te están asegurando placeres futuros mucho mayores. *(Sigue azotando con mucho mayor entusiasmo que antes.)* Pero tengo una idea mejor: Saint Ange, que Eugenia te monte en las caderas agarrándose a tu cuello como un niño; esto me dará dos traseros que azotar en lugar de uno. Mientras tanto los dos, el vergón Agustín y el Caballero, pueden azotarme a mí, duplicando de este modo mi placer... *(Se organiza lo dicho.)* ¡Ay, amigos míos, qué extasis!

SAINT ANGE: También para mí, Dolmancé. Y no detengas el látigo. No te di tregua mientras te azotaba; tampoco quiero que me la des a mí.

DOLMANCÉ: Te aseguro, madame, que no doy tregua a nadie en ningún momento. Sólo pienso en mi placer. Y que se jodan los demás.

EUGENIA: ¡Oh, Dolmancé! No puedo resistir esos latigazos por más tiempo. Si realmente piensas en tu placer, considera todos los que has perdido cuando hayas destruido mi pobre traserito.

DOLMANCÉ: Ah niña, confía en mí. *(Se detiene un momento para contemplar su obra.)* Sólo te he partido una nalga; cuando tengas partidas las dos sentirás el placer. *(Reanuda los latigazos.)* ¡Más fuerte, Eugenia! ¡Te azoto más fuerte! ¡Ah, se ha partido la segunda nalga! ¡Miren como sangra la perrita! Rápido, Agustín, mete la lengua en la grieta. Chupa toda la sangre y la mierda que encuentres.

AGUSTÍN: *(Dando un respingo.)* Eso sí que no. ¡Qué repugnante!

DOLMANCÉ: Oh, vergón tonto... ¿no tienes nada de delicadeza? Bueno, lo haré yo. *(Suelta el látigo y se pone a chupar y lamer el trasero de Eugenia.)* ¡Mmmm, delicioso! ¡Qué sangre! ¡Qué mierda!

EUGENIA: ¡Ah, qué sabroso siento, Dolmancé! ¡Ah, tenías razón en lo del placer! ¡Nunca he sentido algo parecido en toda mi vida!

DOLMANCÉ: ¡Magnífico, chiquilla! ¡Magnífico! Y ahora que la temeridad de Agustín ha destruido la posibilidad de que establezcamos la combinación prevista, tendremos que improvisar. Caballero: entiendo que el dulce deber de ser el primero en penetrar por el coño de esta hermosa chiquilla te corresponde. ¿No deseas ejercer ahora ese privilegio?

EL CABALLERO: Me encantaría, mi querido Dolmancé.

EUGENIA: Entonces, aquí tienes mi coño, querido amigo, haz con él lo que gustes.

DOLMANCÉ: No tan pronto, niña. Tenemos que preparar esta empresa en una forma lo bastante lasciva. Vamos, Agustín, acuéstate de espaldas en la cama. *(A medida que va impartiendo las órdenes, cada participante realiza los actos indicados.)* Eugenia, ponte boca abajo con el montículo frente a su verga, pero no dejes que entre; ese placer está reservado al Caballero; ni creo que Agustín pueda penetrar con esa monstruosidad que tiene...

EL CABALLERO: Pero, Dolmancé, ¿cómo voy a entrar si Agustín me cierra el paso?

DOLMANCÉ: Paciencia, amigo mío. Confía en mí... Ahora yo me tiendo sobre la espalda de Eugenia y empiezo a embestirla por detrás. Al mismo tiempo le froto el clítoris con la cabeza de la verga de Agustín... así. ¿Qué sientes, pequeña?

EUGENIA: Algo maravilloso, querido amigo, maravilloso. ¡Cómo compadezco a la muchacha que jamás lo haya difrutado!

DOLMANCÉ: No compadezcas a nadie, niña. Cada cual para sí, y que el demonio se lleve al último... Ahora, Caballero, ten la bondad de acomodarte alrededor de los hombros de Eugenia con el culo hacia mi cara... eso es. En esa posición te puedo embestir, y masturbarte con la mano libre.

EL CABALLERO: Obedezco, Dolmancé, pero con muchas dudas. No veo como me será posible joder a Eugenia en esta posición.

DOLMANCÉ: Confía en mí, amigo, confía en mí... Ahora, Saint Ange, estoy seguro de que una voluptuosa como tú tendrá por lo menos una verga artificial en la casa.

SAINT ANGE: ¡Por supuesto! ¿Quieres una grande o una pequeña?

DOLMANCÉ: La más grande que tengas.

SAINT ANGE: (*Sacando una del cajón de la cómoda.*) Dicho y hecho. Esta mide catorce pulgadas de largo, y diez de cicunferencia.

DOLMANCÉ: Entonces fíjala en tus muslos, y no me tengas compasión. Mi ano te espera.

SAINT ANGE: (*Montando sobre él y poniéndose en posición de ataque.*) ¿Estás seguro de que no necesitas pensarlo dos veces? Tengo miedo de dejarte inválido con esto.

DOLMANCÉ: No tengas miedo, amor mío. Adelante... ¡Ay, jesús, menuda embestida! Maravilloso, querida mía. ¡Sencillamente magnífica! ¡Húrgame! ¡Húrgame te digo! ¡Mete el palo hasta donde quepa!

EL CABALLERO: Dolmancé, creo que esta empresa nada tiene que ver con mi deseo de unirme a Eugenia.

DOLMANCÉ: Paciencia, señor... ¡confianza! Ahora, ¿Eugenia, sientes mi miembro en la entrada de tu culo adorable? Prepárate pues estoy a punto de penetrar. Y esta vez habrá lubricación para facilitar la tarea... ¡Ah! Ya entra. ¡Por la hendidura de Santa Cecilia! ¡Qué maravilloso culo!

EUGENIA: ¡Ah, Dolmancé... te suplico! ¡Me estás desgarrando! ¡Detente...!

DOLMANCÉ! No hay tregua, niña. No te daré tregua. ¡Tómalo como venga!

EUGENIA: ¡Ayyyyyyyyy! ¡Mis intestinos están hechos jirones! ¡Espera, señor! ¡Lubrica primero el pasaje!

DOLMANCÉ: No se puede, pequeña. Tengo que joder. Sólo pienso en mi placer. Perderíamos demasiado tiempo si me doblegara ahora a tus ruegos... ¡Ah, voy avanzando! ¡Por Lucifer! ¡He tocado el fondo!

EUGENIA: ¡Ahhhhhh! Dolmancé... ya no me duele, sólo siento placer. Haz lo que desees, mi dulce sodomita, te amo.

DOLMANCÉ: Entonces maldice como te enseñé, chiquilla. Contribuye a mi deleite por el oído así como por el tacto.

EUGENIA: ¡Ah, carajo! ¡Carajo! ¡Carajo!

DOLMANCÉ: Cambia un poco tus frases, pequeña. Estás abusando de una sola expresión. Invoca los órganos sexuales de los santos como me has oído a mí.

EUGENIA: Por... el agujero de Santa Marta... La verga de... de San Cristóbal...

DOLMANCÉ: ¡Estás aprendiendo! ¡Sigue de ese modo!

EUGENIA: ¡Por... el miembro de Santo Domingo!... La raja de... Santa Sofía...

DOLMANCÉ: ¡Magnífico! Y Saint Ange, sigues metiéndome ese aparato en forma espléndida también. ¡Qué movimientos tan graciosos, mujer! ¡Qué embates tan potentes! Ahora, Caballero, sigo lamiéndote el culo, mi amigo libertino; todavía te froto. ¿Te gusta...? Y tú, Agustín, siento que esa verga palpitante que tienes adquiere mayores proporciones. ¿Estás acercándote a la eyaculación, gran simplón? Responde.

AGUSTÍN: No sé de eso, Dolmancé, pero creo que estoy a punto de venirme.

DOLMANCÉ: ¡Ah, este cara de culo es una joya! Pero aguanta, porque estoy sintiendo que el orgasmo también llama a mi puerta. ¡Por las glándulas de San Gregorio, me vengo!

EUGENIA: ¡Y yo, Dolmancé! ¡Por los bollos de Santa Brígida! ¡Por el culo de San Jerónimo! ¡Carajo! A joder, Dolmancé. ¡Ah, joder, joder!

DOLMANCÉ: Ahora sí que hemos ensartado este rosario bastante bien todos juntos. Nosotros tres viniéndonos al mismo tiempo...

EL CABALLERO: Pero yo no, amigo mío. Recuerda que se supone que voy a joder a Eugenia...

DOLMANCÉ: Y recordarás que solicité tu confianza... Ahora, se acabaron las pláticas; vamos a disipar de nuestras mentes cualquier pensamiento que no sea el del orgasmo. Jodemos, chupamos, nos venimos. ¡Por los huevos de San Nicolás! ¡Por el Dios Todopoderoso chupador de bollos dulces! ¡Me muero! ¡Me vengo!

DOLMANCÉ, AGUSTÍN y EUGENIA: ¡Ahhhhhhhhhh, qué placer! (*Se separan y se desbarata la posición.*)

EL CABALLERO: Dolmancé, me has traicionado. Confié en que tú organizarías el desfloramiento de Eugenia, pero me has dejado con la verga en la mano.

DOLMANCÉ: Entonces jala de ella, amigo; para eso son las vergas. Y que esto te sirva de lección; de hoy en adelante no confíes en nadie... ni siquiera en tu mejor amigo... Pero, Agustín, no he contestado aún el llamado que he estado recibiendo toda la tarde desde tu magnífico culo. ¿Me permites que te embista, muchacho?

AGUSTÍN: No, pero me puedes joder si quieres.

DOLMANCÉ: Estupidez magistral, mi lindo cerdo. ¡Magistral! Ahora agáchate y abre las nalgas... ¿Ven qué duro se me ha puesto ya?

EUGENIA: Pero, Dolmancé, antes de empezar permíteme que te pregunte: ¿no es antinatural preferir el varón a la mujer, como tú lo haces?

DOLMANCÉ: Yo pienso que no. Recordemos que, a pesar de los cuentos insípidos de las Santas Escrituras —por ejemplo el de Sodoma y Gomorra—, la naturaleza no tiene dos voces; no crea el apetito por la sodomía sólo para prohibir después su ejercicio. Esta culpabilidad engañosa es obra de los imbéciles incapaces de contemplar el sexo bajo otro aspecto que no sea el de la multiplicación de la estúpida especie propia. Pero yo te lo presento en esta forma: ¿No sería irracional por parte de la naturaleza que, si se opusiera a la sodomía, recompensara a quienes la practican con un placer consumado en el preciso momento en que, al hacerlo, ellos lanzan insultos contra el orden "natural"? Además, si la procreación fuera el fin primordial del sexo, ¿habría sido creada en la mujer la capacidad de concebir sólo durante dieciséis o dieciocho horas cada mes... y eso, todo bien calculado, durante un periodo de cuatro a seis años de la duración de su vida entera? No, chiquilla, no vamos a atribuir a la naturaleza las prohibiciones que hemos ido acumulando por miedo o prejuicio; todas las cosas posibles son naturales, y no dejes que nadie te convenza de lo contrario.

EUGENIA: ¡Oh, Dolmancé!, tus discursos sabios me alegran el corazón. ¡Si la población de Francia pudiera escucharte! ¿Puedes imaginar toda una nación que escuchara sólo la voz de la razón? ¡Eso sí que sería un monumento a la inteligencia humana!

EL CABALLERO: Ya que hablan de monumentos, tengo un palo muy duro aquí, el cual sirve de monumento a mi deseo de joderte, muchachita... y puesto que Dolmancé ha sido capaz con sus engaños de retardar el acontecimiento hace un momento, voy a emprender la obra yo mismo.

DOLMANCÉ: No es necesario que hagas alusiones malévolas, Caballero. Es cierto que te he burlado, pero el que se deja engañar es más despreciable que el que engaña. Así que deja de quejarte y tal vez te ayudaré a colocar a la niña en posición para que la penetres; con esa enorme máquina que tienes te hará falta ayuda para mantenerle las piernas abiertas.

EL CABALLERO: Te lo agradezco, amigo mío... y te pido que borres de la pizarra mis comentarios descorteses... Ahora, Eugenia, prepárate. Mira lo que tengo aquí para ti. ¿Te das cuenta de lo grande que se pone cuando está tieso?

EUGENIA: ¡Oh, Dios mío! No me puedes desflorar con eso, me mataría. Dolmancé, el tuyo es más pequeño; sería mejor que me violaras tú.

DOLMANCÉ: No, pequeña, ni pensarlo. Nunca he jodido un coño en mi vida, y es demasiado tarde ahora para empezar. Además, tu himen le fue prometido al Caballero...

EUGENIA: Pero tú mismo has dicho que las promesas se han hecho para quebrantarlas.

SAINT ANGE: Tiene razón, Dolmancé. Y además ¿cómo puedes rechazar una virginidad tan hermosa como ésta? No cabe duda de que aquí, en Francia, no existe otra más bonita. Si te niegas sólo por fidelidad al culto de los sodomitas, te muestras muy apegado a los principios.

DOLMANCÉ: ¿Te sorprendo, Saint Ange? Entonces te sorprendería más saber que existen otros sodomitas mucho más escrupulosos que yo. Que no penetrarían en una hembra bajo ningún pretexto... ni en el coño, ni en el culo, ni siquiera en la boca. En cuanto a mí, si rechazo los coños no es por principio, es porque no siento deseos en ese sentido.

SAINT ANGE: Pues bien, Caballero, tienes una tarea que hacer.

EL CABALLERO: Tengo que confesar que me siento más bien molesto por el giro que han tomado los acontecimientos durante los minutos que acaban de pasar. Para empezar, Dolmancé me ha privado de la recompensa prometida; luego, mi hermana trata de ponerla fuera de mi alcance. Acepto la duplicidad y las intrigas tortuosas, por supuesto, son inmorales y, como tales, perversas, lo que significa que son buenas. Sin embargo ¿no debe existir el honor entre libertinos?

DOLMANCÉ: El honor es inútil, Caballero, cualquiera que sea la sociedad. Ahora bien, olvida por un momento la filosofía, y aprovecha este himencito lindo que te está esperando, antes de que Eugenia decida que preferiría brindárselo a otro; por ejemplo a Agustín.

EL CABALLERO: Sí, supongo que tienes toda la razón. Vamos, Eugenia, pongamos manos a la obra.

EUGENIA: ¡Oh, Caballero, es tan grande! Me vas a matar, no cabe duda. *(Sonriendo de repente con perversidad.)* Y sin embargo, cuanto más grande sea la verga, más grande el dolor y mayor el placer... por lo menos tal ha sido su enseñanza hasta ahora. Así es que quizá sea mejor que prefiera a Agustín, porque tiene una verga más grande que la tuya.

EL CABALLERO: ¡Oh, no, eso sí que no! No toleraré más resistencia. *(La agarra del brazo mientras ella trata de volverse, y la derriba al suelo de un puñetazo en la boca.)* Abre las piernas, putilla. Te voy a meter esta verga hasta la garganta.

EUGENIA: *(Ardiendo en deseos.)* ¡Oh Caballero, cuánto te amo ahora! ¡Creo que sucedió cuando me golpeaste! Ahora quiero tanto que me jodas, que de buena gana me expondré a tu verga monstruosa. Contempla la ciudadela, querido, inicia el ataque.

EL CABALLERO: Entonces, separa esos muslos, muñeca. Bien separados... Ahí voy ahora...

EUGENIA: ¡Ayyyyyyyyyy!

EL CABALLERO: ¡Dolmancé! ¡Saint Ange! ¡Agarren una pierna cada uno, amigos míos! ¡Manténganlas separadas! ¡Tengo que partirla como un melón!

EUGENIA: ¡Con dulzura, Caballero, con dulzura!

EL CABALLERO: ¡Maldición! ¿Esperas dulzura de una verga enhiesta? Inconcebible... Ahora, vamos. ¡Ya entré! ¡Ahhh!

EUGENIA: ¡Aayyyyyyy! ¡Ayyyy, amigos míos! ¡Me muero de dolor! *(Le corren las lágrimas por las mejillas.)* Caballero, si continúas voy a gritar...

EL CABALLERO: Grita, pequeña, grita hasta que se te gasten los pulmones.

EUGENIA: ¡Ayyyyyyyyyy!

EL CABALLERO: ¡Chilla, digo, joder el coño!... Observa, Dolmancé, he recorrido la mitad de la distancia.

EUGENIA: ¡Ayyyyy!

EL CABALLERO: Jo... jo... joder. ¡Toco el fondo! ¡Por la bragueta de Dios, he roto la membrana! ¡Miren cómo sale la sangre!

EUGENIA: ¡Ven, león mío! Desgárrame y hazme tiras. ¡Ahora siento el placer! ¡Joder, digo, jódeme, Caballero! ¡Cabálgame, jodedor, te amo! ¡Jode, caballo! ¡Caballo jodedor!

EL CABALLERO: ¡Ah, hermosa niña jodida!

EUGENIA y EL CABALLERO: ¡Joder! ¡Ah, joder! ¡Ahhhhhh! ¡Joder! *(Se disuelve la formación.)*

DOLMANCÉ: Ahora, mientras la puerta está abierta todavía, vamos a llamar a Agustín, y que pruebe ella lo que es realmente —nc te ofendas, Caballero— una verga de verdad.

EUGENIA: ¿Qué es eso, señor? ¿Quieres que me jodan con esa monstruosidad? ¿Mientras todavía corre la sangre de mi virginidad? ¡Eso me mataría!

DOLMANCÉ: De ser así, tontita, morirías de placer... porque la empresa que he proyectado para ti es una combinación como todavía no hemos representado en toda la tarde.

SAINT ANGE: ¿Qué dices, Dolmancé? ¿Planeas iniciar a esta chiquilla en una unión múltiple tan al principio de su carrera?

DOLMANCÉ: No hay mejor momento que el presente, madame... Y ahora ¿empezamos?... Yo me pongo de lado, Agustín, ¿me ves? Ahora ven, muchachón, ponte delante de mí; te voy a joder el culo mientras tú jodes a Eugenia por el coño... ¡así, mi gran jodedor...! ¡Menudo culo tienes! Tiemblo al pensar en los atronadores pedos que tienen que salir de entre estos carrillos musculosos de vez en cuando... ¡Ah, ya estoy penetrando! ¡Magnífico jodedor! ¡Qué bien te mueves! ¡Ah... ya está... Estoy metido hasta el tope!

AGUSTÍN: Vaya, tienes una verga pequeña, Dolmancé. Apenas si la siento.

DOLMANCÉ: Sí, un órgano de dimensiones normales tiene que tocar con suavidad en una catedral de estas dimensiones. Pero sigamos adelante con el proyecto... Ven, Eugenia, acuéstate frente a él, así mismo... Caballero, te corresponde ahora joder por detrás. ¿Crees que lo lograrás? ¿Podrás enderezarte otra vez la verga?

EL CABALLERO: ¿Con un culo como el de Eugenia esperándome? No lo pongas en duda, Dolmancé, ahora mismo me dedico a la tarea.

SAINT ANGE: ¿Y qué hay conmigo, Dolmancé? ¿Me dejarás fuera del grupo?

DOLMANCÉ: Claro que no, madame. Colócate al otro lado de la cama... Ahí... Ahora baja las caderas hasta que tu culo esté en dirección al lindo rostro de Eugenia... Así está bien... Ella recibe al Caballero con el culo, a Agustín con el coño y a ti con la lengua... Ahora ¡a trabajar!

AGUSTÍN: Prepárate, señorita; esto te va a doler.

EL CABALLERO: Y ésta es mi contribución, Eugenia...

EUGENIA: ¡Ayyyyy! ¡Ayyyyy! ¡Ah, joder! ¡Me están partiendo en dos! ¡Ah, esas dos vergas enormes! ¡Apenas si puedo soportarlo!

DOLMANCÉ: Hay algo más en camino, chiquilla. Tengo una sorpresa reservada para ti. *(Mete la mano debajo de la cama y saca un látigo.)* He aquí un brazalete rojo para tu precioso muslo blanco. *(La azota.)*

EUGENIA: ¡Ayyyyyy! Pero también ¡qué placer! ¡Ah, joder! ¡Ah, joder! Este tosco campesino me está partiendo por delante... el Caballero me desgarra por detrás. *(El látigo cae de nuevo.)* ¡Ayyy! ¡Saint Ange, te chupo el coño delicioso! ¡Ah, joder, qué placer!

(El coro da gritos apropiados al principio del orgasmo común. Como se han descrito ya anteriormente estos actos, y lo más natural es que sean parecidos en todas las ocasiones; se ha considerado inútil repetirlos ahora.)

EUGENIA: *(Cuando todo ha pasado y la posición se ha disuelto.)* Pues bien, amigos míos, tengo que reconocer que nunca en la vida había soñado siquiera que pudiera existir algo tan placentero. Ahora sólo me falta una cosa para completar el asunto.

SAINT ANGE: ¿Y qué es eso, pequeña?

EUGENIA: Una disertación, querida instructora. Domina mi mente como acabas de dominar mis sentidos. Si mi mente ha de ser espejo de tus pensamientos... púlela, pues cuanto más pulido esté el espejo, con mayor fidelidad reflejará los objetos que tenga por delante.

DOLMANCÉ: ¡Tanto juicio en una chiquilla de su edad...! Dime, querida niña ¿sobre qué tema te gustaría oírnos hablar?

EUGENIA: Quisiera saber qué papel deben representar la ley y la religión en una sociedad republicana.

DOLMANCÉ: ¡Por Lucifer! Precisamente llevo aquí un folleto que trata de ese tema. Lo compré esta misma mañana en las afueras del Palacio de la Igualdad. Míralo.

SAINT ANGE: *(Leyendo la portada.)* Dice: "Un esfuerzo más, franceses. Antes de que puedan llamarlos republicanos". ¡Qué título tan extraño!

DOLMANCÉ: Pero no deja de ser provocativo. Caballero, tienes una voz magnífica. ¿Quieres leérnoslo?

EL CABALLERO: Con mucho gusto...

(Telón)

El Caballero

Escenario: El Caballero está delante del telón. Lee el folleto.

UN ESFUERZO MÁS, FRANCESES, ANTES DE QUE
PUEDAN LLAMARLOS REPUBLICANOS

Compatriotas: Hemos contemplado la cabeza de nuestro rey tirano caer dentro de la canasta del verdugo.
Hemos visto destruida la monarquía y barridos sus
adornos. Nos hemos declarado libres. Pero, franceses, un profundo abismo separa la declaración de la
libertad del logro de la misma, y no puede existir
mayor locura que la que consiste en creer que hemos
obtenido el segundo cuando, en realidad, sólo hemos
hecho la primera. Es cierto que se ha derribado el antiguo régimen; pero mientras permanezcan sus cimientos, realmente mientras siga en pie uno solo de
sus pilares, podemos estar seguros de que el resto no
tardará en verse restaurado. Ese pilar que aún subsis-
te es la Iglesia Católica Romana. Y al permitir que siga
en pie, franceses, pavimentamos una vez más el camino de tiranía y el despotismo; preparamos una vez
más nuestros cuellos para el yugo que nuestra vitali-
dad arrancó apenas ayer.

Amigos míos, ha llegado la hora de darnos cuenta de que la moral debería ser la base de la religión, y no ésta la base de la moral. Nuestra religión —nuestro código de conducta, si quieren— no debe fundarse en los mandamientos de un charlatán fallecido ha mucho, sino en los principios —y sólo en ellos— que nuestra lógica nos hace reconocer como correctos. La Iglesia Católica Romana carece de tales principios lógicos, y eso es fácil de demostrar. En vez de lógica nos presenta dogmas; en vez de razón, misterios; y todo esto va ligado de tal modo, según nos dice, que, o lo aceptamos tal como es, o no lo aceptamos; esto último sólo a costa de lo que se llama nuestra alma inmortal. Pues bien, por temor a perder esa alma nebulosa, más de un hombre ha renunciado a su libertad; ha entregado la vida; aunque jamás hemos llegado a saber lo que se le acredita en los libros de cuentas celestiales como resultado de sus sacrificios, no hace falta escudriñar mucho para reconocer lo que la Santa Madre Iglesia sale ganando con ellos, aquí, en la tierra.

No olvidemos que, a través de la historia, la Iglesia y los tiranos realistas siempre han ido de la mano. Los reyes defienden la "misión divina" de la religión, y la religión mantiene los "derechos divinos" de los reyes. Es la vieja historia del cocinero y el camarero: "Dame la pimienta y te daré la mantequilla". Pero, franceses, la pimienta y la mantequilla no pertenecen al cocinero ni al camarero; nos pertenecen a nosotros. "Que den al César lo que es del César" nos dice la Iglesia. Recuerden, compatriotas: Hemos destronado a César; su cabeza yace en el cesto; no estamos dispuestos a darle nada a él, ni tampoco a la iglesia que por tanto tiempo le ha servido de fabulista.

"Muy bien" aceptarán los eclesiásticos. "No nos deben nada" podrán decir tal vez ahora que les han quitado el poder. "Por tanto, sigue tu camino y déjanos seguir el nuestro". Pero franceses, no podemos dejar que la iglesia continué su camino, porque sabemos demasiado bien qué camino seguirá. Antes de que hayan transcurido diez años, esos mismos sacerdotes que ahora abogan en favor de una política de "vivir y dejar vivir" habrán recuperado de nueva cuenta las riendas del poder, aprovechando las supersticiones, las intimidaciones y las amenazas rotundas que por tanto tiempo han llenado su arsenal retórico, habrán sometido las almas de los débiles y los incautos, y afianzado de nuevo su "imperio espiritual", después de lo cual sólo será cuestión de tiempo que vuelvan a instaurar la monarquía, porque el poder de los reyes, debidamente manejado, siempre ha sido el arma más certera con que se fortalece el poder de la iglesia. Cuando eso acontezca, franceses, no volverán a oír hablar de "vivir y dejar vivir", como tampoco se oyó nada de eso en tiempos de la Inquisición. Porque cuando eso suceda, el cocinero y el camarero estarán otra vez dedicados a su negocio... en nuestra cocina.

Se los repito, franceses: Para ser libre, Francia debe ser liberada no sólo del cetro regio, sino también del incensario clerical. Ustedes, que todavía tienen en la mano las hachas revolucionarias, deben asestar ahora el golpe final al árbol de la tiranía. ¡Deben arrancarlo de raíz; no basta con recortarle unas cuantas ramas! Que el esclavo del rey déspota se arrastre, si así lo quiere, a los pies de una estatua de arcilla; nosotros franceses —nosotros, conciudadanos míos— debemos tomar la resolución de morir cien veces antes que arrodillarnos a los pies de otro tirano, ya sea hombre o dios. "Pero", puede alegarse, "el pueblo necesita un dios que lo divierta y aplaque sus nervios, que calme sus angustias". Que así sea, entonces; pero al darle un dios, que se le dé uno como los nobles dioses paganos de antaño; démosle otro Júpiter, o Hércules o Palas, cuyas leyendas osadas inspiraron a hombres valientes a alcanzar nuevas alturas de logros personales; no necesita de ese tímido e impotente dios cristiano, ese padre de la confusión que sólo crea hombres para poderlos condenar; ese supuesto ser supremo que nunca consigue que sus criaturas hagan su voluntad; ese autor de orden en cuyo gobierno sólo existe el caos; esa deidad fantasmal que siempre está reñida con las fuerzas de la naturaleza que pretende gobernar. El dios cristiano, nos dicen, es todopoderoso y sapientísimo; y sin embargo, creó al mundo para su gloria, y éste vive ofendiéndolo; creó al hombre para que lo reconociera, lo amara y lo sirviera, y nos pasamos la vida ignorándolo, odiándolo y desobedeciendo sus mandamientos; si eso es poder y sabiduría ¡busquemos ahora un dios capaz de debilidades y locuras!

No, franceses, no hay ningún mérito en el dios cristiano, y tampoco hay lugar en Francia para los símbolos de sus engaños. Si sienten la necesidad de tener estatuas, elévenlas en honor de los grandes hombres que combatieron por la causa de la humanidad. Y si tienen necesidad de lemas, inscriban en todos los altares, no los enigmas latinos del culto de Jesús, sino las tres palabras que, de ahora en adelante deberán inspirar esperanza y dicha en el corazón de todo francés: ¡Libertad, Fraternidad, Igualdad!

Tampoco sigan dejando que los convenzan engañosamente de que sólo se puede conservar el orden social por medio del cristianismo. ¿Hay entre nosotros alguien que sea lo bastante irreflexivo para esperar que los hombres capaces de mofarse de la guillotina serán intimidados por la amenaza de un infierno de cuyos tormentos se han reído desde la niñez? No, amigos míos, muchos son los crímenes cometidos por la religión, y pocas veces ha impedido alguno ella. Además, declaro que, aun cuando pudiera probarse que el cristianismo ha detenido al crimen y es el único medio para mantener el orden social, no sería empero suficiente argumento para tolerar la presencia de ese culto pérfido entre nosotros, pues el orden social a costa de la libertad es un trato poco ventajoso.

Pero ya basta de argumentos. Nacen de la noción cristiana de que una clase dominante ha sido elegida por un dios sapientísimo para que guíe a la chusma, y es una idea que viola el principio básico de igualdad en que se fundó la revolución. Deben estar convencidos de que el pueblo —lo que se llama el pueblo bajo— es muchísimo más juicioso de lo que jamás imaginaron los déspotas cristianos. Y dense cuenta además de que, ya que se ha enterado a ese pueblo de los hechos, el mismo que fue lo bastante juicioso y valiente para derribar a un rey aborrecible terrenal del trono del poder hasta el pie del patíbulo, será lo bastante juicioso y valiente para abolir al rey fantasma del cristianismo, que se ha proclamado a sí mismo rey del universo.

Franceses: Sólo es necesario que propinemos los primeros golpes; una vez que haya visto la luz, el pueblo encontrará el camino propio. Pero hay que mostrarle la luz. Deben apresurar la tarea de educar a la juventud; no educarla con las estupideces elementales que fueron la primera educación a manos de los curas, sino en una ética firme basada en una estructura lógica; no habrán de enseñarle un compendio de lemas necios del que sentirá tal vez orgullo, más tarde, de haberlos olvidado, sino enseñarle las verdades humanas fundamentales de las que pueda deducir un sentimiento de obligación, hacia la sociedad, y un deseo de cumplir voluntariamente con ella. Hay que esforzarse porque nuestros hijos comprendan el principio fundamental de la civilización: que nuestra dicha personal depende de la dicha de quienes nos rodean. Además, no debe serles presentado dicho principio como basado en el mito cristiano (como sucedió con todos los principios que nos enseñaron de niños), porque tan pronto como hayan rechazado el mito, habrán derribado el edificio al que habrían de servir de cimientos, así, se convertirán en bandidos, asesinos y ladrones sin más razón que el hecho de que la religión lo prohibiera. Por el contrario, si se les hace comprender que la virtud es necesaria para la felicidad, entonces el egoísmo los convertirá en hombres honrados. ¡Y el mundo no conoce hombres más honrados que quienes lo son por interés propio!

Además, nuestros hijos deben estar imbuidos de una filosofía positiva. Nunca debemos olvidar que estamos tratando de formar hombres libres, no débiles seguidores de un dios falso. Por eso debemos enseñarles que la vida es para los vivos; que debe disfrutarse de los placeres; que es mucho menos esencial investigar la naturaleza de las cosas que obedecer las voces inescrutables y maravillosas de la naturaleza. Si nos preguntan cuál es la causa del universo, digámosles la verdad: que, honestamente, la ignoramos. Lo que no debemos hacer es embrollarles el cerebro con una serie compleja de conceptos que intentan demostrar inductivamente que existe un ser a quien estamos sometidos, y que no permite que los sentidos lo perciban. Y si sienten curiosidad por las "leyes" filosóficas, orientémoslos hacia la verdadera Ley Natural; una ley tan sabia como sencilla, una ley escrita en forma indeleble en los corazones de todos los hombres, una ley a la cual el hombre obedece siempre que hace caso a sus impulsos. Si eso no los satisface, tendremos entonces que confesarles que, satisfactorio o no, es lo único de que disponemos.

En cuanto al método de enseñanza, proporcionemos más ejemplos que enunciados, muchas más demostraciones que dictados. Recordemos que la mente juvenil es algo así como un cesto de cerezas: Si tiramos de una, salen más; si empujamos, no sacamos nada. Lo mismo sucederá con nuestros hijos. Si les ordenamos, si les impartimos mandamientos, conseguiremos una nación de guerreros valientes y padres nobles; una nación de hombres inmunes al servilismo y que no se dejen perturbar por la superstición; ante todo una nación de verdaderos patriotas, tan firmemente dedicados a la libertad de su país, que no sólo estén dispuestos a perecer por ella, sino también —lo que suele ser más dificil —a vivir y trabajar por ella.

Ésta, franceses, ha de ser nuestra meta; y para lograrla tenemos que desterrar para siempre de esta tierra las fuerzas de la religión que sólo pueden propiciar el despotismo. Sin embargo, permítanme aclarar que no propongo ni matanzas ni expulsiones; tales son los instrumentos de los reyes, y de bandoleros que los imitan; si hubiéramos de emplear tales tácticas, no seríamos mejores que los tiranos que hemos destronado. En cambio, nuestra arma deberá ser el ridículo; recordemos que el sarcasmo hábil de Juliano causó más daño entre los primeros cristianos que todas las ignominias neronianas; si atacamos de igual modo a los sacerdotes del presente con embates de ironía, no sólo derrotaremos al enemigo, sino que lo obligaremos a caer de rodillas de tal forma, que sus delitos pasados resulten evidentes para todos los que los contemplen.

Así queda tratado el problema de la Iglesia en la comunidad y de los medios por los cuales propongo que se resuelva. Ahora volvámonos hacia la cuestión de la ley.

Desde el principio de los tiempos, el hombre ha asumido obligaciones de tres categorías: 1) las relacionadas con un ser supremo; 2) las relacionadas con sus semejantes, y 3) las relacionadas consigo mismo. Del mismo modo, desde el principio de los tiempos, el hombre ha emprendido por medio de la legislación el establecimiento de normas uniformes de cumplimiento de ciertas obligaciones. La cuestión que tenemos ante nosotros ahora es ésta: cuáles obligaciones y qué categorías son las que, como republicanos, debemos imponer legalmente a nuestra nación en conjunto.

En lo que se refiere a las obligaciones para consigo mismo, debemos percatarnos de que el hombre habrá de realizar todas las acciones que considere como contribuyentes a su placer o bienestar, y que renunciará a la ejecución de las demás. Es absurdo intentar obligarlo a actuar en otra forma, y más absurdo aún pretender amenazarlo con castigos legales si no se deja convencer. Por ejemplo, aun cuando la mayoría de la gente está de acuerdo con que el hombre tiene la obligación consigo mismo de no suicidarse, ¿cómo podríamos poner realmente en vigor una ley que culpara esa acción? El mismo problema surgiría hasta cierto punto, en el caso de cualquier delito menor contra el bienestar de uno mismo, la mutilación, por ejemplo, o el dejarse morir de hambre; ¿cómo podría el estado obligar a un hombre a comer, o impedirle que se cortara un pie, después de haberlo encarcelado por haberse cortado el otro? Por eso la imposibilidad de aplicar las leyes que proscriben los crímenes contra uno mismo excluyen toda esta categoría de delitos del alcance de la jurisprudencia.

Segundo, en lo referente a las obligaciones hacia un ser supremo, debemos reconocer que si un individuo es lo suficientemente necio para orientar sus acciones de acuerdo con cierta noción equivocada de una deidad que lo exige todo y de la cual es devoto, entonces está en su perfecto derecho al obrar así. Sin embargo, si existiera una deidad tal con la que el hombre estuviera obligado, la responsabilidad de la observancia forzosa de la obligación sería responsabilidad de la deidad, no del estado. Por tanto, todas las leyes del Código Penal Francés referentes a "delitos religiosos" tales como el ateísmo, el sacrilegio, la impiedad, la blasfemia, etc., deberían anularse de inmediato. Más aún, habría que redactar una ley que garantizara específicamente no sólo el derecho de los hombres a practicar el culto religioso que quisieran, sino también el derecho de los hombres a condenar, si así lo desean, todos los cultos religiosos como creaciones de personas en quienes la incapacidad mental y la escasez de imaginación han dado lugar al temor a una deidad fantasma; los hombres que quieren reunirse en un templo e invocar la imagen de alguna criatura etérea deberían por supuesto tener autorización para hacerlo; pero el templo no debería estar exonerado de impuestos y los miembros de la sociedad que no se suscribieran a ese culto deberían tener permiso de pagar un derecho de entrada y reírse de los actos disparatados de los adoradores como nos reímos de los payasos en el circo.

Por último, tomemos en consideración la tercera clase de obligaciones del hombre; las que tiene respecto a sus semejantes; esta clase, obviamente, es la única que debe preocupar al estado. Sin embargo, vamos a estipular desde el principio que nuestras leyes, tal como están redactadas ahora, se ocupan con demasiada frecuencia e insistencia de aspectos de las relaciones humanas que sería mejor dejar al cuidado exclusivo de las partes interesadas.

Esta preocupación excesiva es, al parecer, el resultado de los intentos de los legisladores para hacer cumplir el aforismo cristiano: "Ama a tu prójimo como a ti mismo". Ese aforismo resulta absurdo, por supuesto; no hay que pretender amar al prójimo como a uno mismo, sino más bien tolerarlo; entre tanto se puede amar a algunas personas, odiar a otras, y sentir una indiferencia absoluta por otras más. En este punto sería oportuno recordar que los hombres difieren tanto entre sí en cuanto a personalidad y carácter, como diferentes son en lo referente a sus dimensiones físicas; así, pretender someterlos a leyes universales de fraternidad sería un absurdo patente, un procedimiento tan ridículo como el de un general que quisiera vestir a todos sus soldados con uniformes de la misma medida. Debemos reconocer de inmediato que no pueden existir tantas leyes individuales como hombres hay, pero cualesquiera leyes "universales" que se decreten deberán ser tales, que haya lugar a excepciones para quienes no sienten inclinación de someterse a ellas; en realidad, el castigo de un hombre por haber violado una ley que no podía respetar no es más justo que el castigo a un ciego que no ha podido distinguir los colores. Además, las leyes "universales", aun con sus excepciones, deberán ser muy pocas, limitarse a crímenes en los que no pudieran aplicarse constricciones y compensaciones extralegales, y exigir "castigos" que sólo trataran de impedir la repetición del delito, y no de tomar venganza en la persona que lo hubiere cometido.

Ya establecidos esos principios básicos, vamos a examinar las cuatro categorías de crímenes reconocidos en el Código Penal Francés: la calumnia, los crímenes contra la propiedad, los crímenes sexuales y el asesinato. Bajo la monarquía todos esos actos estaban considerados como delitos graves. Pero ¿serán tan graves dentro de un estado republicano? Ésta es la pregunta que debemos tratar de resolver a la luz de la antorcha filosófica. Y mientras presento mis argumentos, que nadie me acuse de ser un consejero del mal; que nadie diga que intento inspirar acciones malas, ni acallar los remordimientos en los corazones de quienes las cometan; mi único propósito en esta actividad consiste en articular pensamientos que han estado en mi conciencia desde que alcancé la edad de la razón; que esos pensamientos estén en conflicto con los de otras personas, o de la mayoría de la gente, o de todos excepto yo, no es razón suficiente para reprimirlos creo yo. En cuanto a las almas susceptibles que pudieran "corromperse" al verse expuestas a mis palabras, diré que tanto peor para ellas. Sólo me dirijo a las personas capaces de examinar objetivamente lo que tienen delante. Estas personas son incorruptibles. Ahora, adelante con nuestro escrutinio de la ley penal:

Respecto a la calumnia, o sea la expresión de testimonio falso contra el prójimo, debo confesar que jamás lo he considerado como acción delictiva porque ¿dónde está el daño? Aplicando la regla de las contradicciones, podemos ver que la persona objeto de un ataque difamatorio es a) hombre virtuoso, o b) hombre malo. En ese último caso poco importa que se haya hecho una acusación falsa, porque ¿qué le importa a un malvado si lo acusan de haber hecho algo malo? En realidad, la investigación de un daño inexistente podría conducir al descubrimiento de un daño auténtico, y en ese caso el malvado que hasta entonces hubiera logrado esquivar el juicio de sus iguales se vería al fin expuesto. Por otra parte, si se calumnia a un hombre virtuoso, basta con que se presente, y todo el mal que se le haya imputado recaerá sobre el acusador. Sea cual fuere el caso, un hombre honrado nada tiene que temer, y puesto que la ley está prevista para proteger al honrado contra el delincuente, no hay razón alguna para condenar la calumnia.

Veamos ahora el robo. Desde el punto de vista del acaudalado éste es, desde luego, un crimen horrendo. Pero si dejamos a un lado la parcialidad, preguntémonos como buenos republicanos: ¿Vamos, defendiendo el principio de que todos los hombres son iguales, a condenar al mismo tiempo como perverso un acto cuyo efecto es el de lograr una distribución justa de la riqueza? El robo propicia el equilibrio económico; nunca se oye decir que el rico le roba al pobre, agravando así el desequilibrio económico; solamente el pobre le roba al rico, corrigiendo dicho desequilibrio; ¿qué puede tener de malo tal cosa?

Además, el robo fomenta la protección y conservación de la propiedad. En verdad, ciertas sociedades solían castigar a la víctima, no al ladrón, pues todo ello redundaba en el interés del cuidado y la conservación.

Pero alejémonos de estos puntos de vista pragmáticos para dedicarnos a reflexiones de alcance más amplio. Podríamos preguntarnos: "¿Es justa una ley que ordena al que nada tiene el respeto de los "derechos" del hombre que lo tiene todo?" La respuesta será que no, naturalmente. Después de todo, la ley no es sino un contrato; para ser válido, implica que cada una de las partes ha de dar algo a cambio de lo que va a adquirir. Pero ¿qué adquiere el pobre a cambio de renunciar al placer de robarle al rico? Nada. Por tanto, es un intercambio de derechos ilusorios por derechos reales, y el contrato no es equitativo.

"Pero —se podría alegar— ¿no garantiza la república el respeto a la propiedad privada?" Sí, contesto yo, la garantía se ha dado; pero ahora tenemos que suprimirla, y sin contemplaciones. En relación con lo cual recordemos que un juramento debe tener el mismo efecto sobre todo el que lo pronuncie; si liga a un hombre que no tiene ningún interés en respetarlo, no es ya un pacto entre hombres libres; es el arma del fuerte contra el débil. Por eso debe anularse el pacto, y con él nuestros estatutos contra el robo; no hay lugar para ellos en una sociedad republicana.

Ahora volvamos la atención hacia la ley contra los crímenes sexuales, contra las ordenanzas que condenan la prostitución, el adulterio, el incesto, el estupro y la sodomía, o mejor dicho como se designaban estas manifestaciones durante el antiguo régimen: los crímenes "morales". En este adjetivo "moral", reside el motivo para la abolición de las leyes. Una república no tiene por misión prescribir la moral; su tarea principal consiste —en realidad es la única razón de su existencia— en conservar la libertad de sus ciudadanos por los medios que se reconozcan como necesarios. Además, puesto que los déspotas del interior del país, así como los del exterior, han de intentar seguramente coartar esa libertad, la guerra resulta inevitable. Ahora yo les pregunto: ¿Hay algo más inmoral que la guerra? Y ¿cómo puede un estado, que ha de perpetrar la inmoralidad para cumplir la única razón de su existencia, dar media vuelta e insistir en que sus ciudadanos vivan de acuerdo con la moral?

Pero hay otras razones aparte de ésta para revocar las ordenanzas "morales". Recordemos que, si la naturaleza hubiera deseado que el hombre fuera modesto no le habría permitido nacer desnudo. Del mismo modo, si pretendiera que la satisfacción de los impulsos sexuales fueran sólo parte de un acto de concepción, habría organizado las cosas en forma tal, que sólo en dichas circunstancias pudiera complacerse en el apareamiento sexual. De modo que, cuando condenamos todos los actos sexuales que no tienen por finalidad procrear —y que es, en realidad, lo que hacen nuestras ordenanzas "morales"— estamos nosotros mismos violando la ley natural.

En esta coyuntura aprendamos una lección de los legisladores griegos que, en vez de castigar el libertinaje, lo autorizaban a sus electores. Ninguna clase de libertinaje estaba prohibida en aquella gran civilización, y no importaba cuál fuera la forma del acto ni el sexo de los participantes; Sócrates, a quien el oráculo lo calificó como el filósofo más sabio de aquella época, pasaba indiferentemente en brazos de su amante, Aspasia, a los de su amiguito Alcibiades, y la gloria de Atenas no se veía en lo más mínimo deslucida por cualquiera de las dos uniones.

Nuestras actitudes deberían basarse en las de ellos. En vez de prohibir la prostitución, nosotros —al igual que Solón, el legislador— deberíamos edificar en cada ciudad toda una serie de burdeles espaciosos, higiénicos, bien amueblados, e inofensivos en todos los aspectos. Allí dentro deberían encontrarse los servicios de personas de ambos sexos y de todas las edades, que satisfacieran a los caprichos de todos los calaveras que se presentaran. Ningún acto de libertinaje debería estar prohibido bajo ninguna circunstancia.

Además, deberíamos anular todas las leyes matrimoniales. Éstas se basan en la noción cristiana del "amor" posesivo... una idiotez de esos que sin duda piensan que el sol brilla menos cuando lo hace sobre alguien además de ellos. Esas leyes deberían ser reemplazadas por una declaración estatal de que todas las mujeres pertenecen a todos los hombres... no como propiedad, sino como instrumento de placer. Una analogía pudiera presentarse aquí, con el manantial que hay a la orilla del camino: No tengo derecho a "poseer" el manantial, ni a impedir que otros hagan uso de él, pero tengo un derecho irrebatible a usarlo para calmar mi sed. Igualmente, según leyes justas, no tendría yo derecho a "poseer" esta mujer o aquélla, pero mi derecho irrefutable sería disfrutar de ella; además, podría obligarla a someterse a mis deseos si ella, por cualquier razón, presentara resistencia.

Ahora bien, ciertas personas tal vez vean con malos ojos esta actitud mía; algunas podrán pensar que es en menosprecio de la feminidad. Pero yo contesto: ¿Qué podría ser más despreciativo de la feminidad que las normas sociales presentes, que equiparan la bondad con la abstinencia, y la virtud con la represión de todos los impulsos naturales? Y lo que es más humillante, nosotros, los hombres nos esforzamos por debilitar a las mujeres, seduciéndolas, para castigarlas después por haberse rendido a nuestros asedios.

Según mi plan esta norma doble no podría existir. Yo insistiría en que se votaran leyes que permitieran a las mujeres entregarse a todos los hombres que les agradaran, y con toda la frecuencia que se les antojara. Además, conjuntamente con la ley que permitiera que los hombres podrían obligar a las mujeres a doblegarse, yo pediría otra ley, según la cual también las mujeres pudieran obligar a los hombres... hasta donde la anatomía y la fisiología lo permitieran.

¿Quién podría oponerse a semejante plan? ¿Qué peligros acarrearía? ¿Tal vez la creación de hijos sin padres? Eso no importa mucho. ¿Qué importaría la paternidad en una república donde todos los que nacieran fueran hijos de la patria? ¡Y cuánto más iban a querer los hijos a su patria si, desde el nacimiento, no hubieran conocido más madre que ella!

Lo que se acaba de decir elimina la necesidad de discutir el adulterio, el estupro y el incesto. En lo referente a éste último, podríamos señalar de paso que, al aflojarse los vínculos familiares, el individuo, dispone de mucho más amor que entregar a su patria; por esta razón el incesto, a semejanza de los demás ejercicios del libertinaje, debería ser fomentado y no prohibido.

Finalmente consideremos el crimen contra la "moral" llamado sodomía. Si escuchamos a los sacerdotes podríamos tener la impresión de que no existe crimen mayor. Después de todo, su práctica atrajo el fuego del cielo hacia las ciudades de Sodoma y Gomorra. Sin embargo, el observador imparcial encontrará una explicación terrenal de aquel holocausto —tal vez un volcán— porque se han cometido en Francia por lo menos tantos "pecados de Sodoma" sin que se notaran los efectos malignos.

Ahora que hemos citado todas las fábulas bíblicas del basurero intelectual, veamos más directa y objetivamente el fenómeno de la sodomía. Dicho examen nos conduce de manera inevitable a la conclusión de que esta actividad es por completo indiferente, tanto en cuanto a la moral como en cuanto a la legalidad. No cabe duda de que la naturaleza no puede verse ofendida por apareamientos que involucren a personas del mismo sexo; ella, que reconoce tan poca importancia al semen como para permitir que fluya con libertad durante la vida entera del hombre, salvo quizá durante diez o quince años, no podría objetar nuestra elección cuando lanzamos su caudal en ésta o aquella dirección. De este modo, condenar la sodomía equivale a condenar a muerte* al infeliz cuyo único crimen es no compartir los gustos de la mayoría.

En resumen, puede verse que no existen actividades sexuales que deban incumbir a los legisladores; las únicas leyes sexuales del hombre libre deben ser las de la naturaleza; sus únicos límites, los de sus deseos, y su único freno, el de sus aficiones.

Por último, cuando estudiamos los crímenes del hombre contra sus semejantes, llegamos al asesinato. Ésta es, por supuesto, la más grave infracción, pues priva al hombre de la vida; dicha privación es, por su naturaleza misma, irreparable. Sin embargo, dejando a un lado por ahora el asunto del daño que padece la víctima del asesinato, surgen varias preguntas:

1) Respecto a las leyes de la naturaleza únicamente ¿se trata de un verdadero delito?

*Durante la Convención de 1792.

2) Respecto a las leyes de la política únicamente ¿es un delito?
3) ¿Perjudica el asesinato a la sociedad?
4) ¿Cuál es la posición del asesinato respecto a los principios del sistema republicano?

Primeramente, tomando en cuenta nada más las leyes de la naturaleza, debemos dejar de engañarnos; aun cuando puede lastimar el orgullo del hombre el considerarse como algo menos que la más sublime de todas las criaturas de la naturaleza, nosotros, como filósofos, no podemos permitirnos creer en esas lindas vanidades humanas. El hecho escueto es que el hombre no vale, para la naturaleza, más que cualquier otro animal. ¿Le cuesta más a ella producir un hombre que una mosca, una jirafa o un elefante? ¿Cuál ha de ser el patrón de medida? Sin duda los materiales que entran en la composición de cada criatura son los mismos; la ciencia lo ha demostrado. Entonces, ¿cuál puede ser el costo? ¿La energía? Pero la naturaleza dispone de energía sin límites, entonces ¿qué?

Por mucho que nos duela admitirlo, el hombre no cuesta más ni vale más. Así que, desde un punto de vista puramente "natural", el asesinato no es un delito; en realidad, puesto que de todos modos la naturaleza acaba por causar la muerte de todas sus criaturas, podría argumentarse que el asesino está en realidad ayudándola en su trabajo. ¿Podría quejarse de ello la naturaleza?

"Bueno", se alegará entonces, "que lo haga ella, si tal es su trabajo". Pero entonces podremos objetar que el asesinato es sólo un agente de la naturaleza; él sigue el impulso que ella le ha dado. Ella es quien lo incita a cometer lo que, sin él, podría ella haber logrado mediante la peste o una epidemia. Además, es la voz de la naturaleza la que sugiere, a través de los impulsos humanos, el odio, la venganza, la guerra y, en resumen, todas las demás causas humanas de la muerte. Si ella nos incita a acciones homicidas ¿no será porque las necesita?

Considerando desde este punto de vista puede comprobarse que el asesinato —aunque podamos oponernos a él por muchas otras razones— no presenta ninguna contradicción ante la naturaleza; según sus leyes no constituye un delito.

¿Y que diremos de la ley política? ¿Hay delito en este caso? La respuesta que nos viene de inmediato a la mente es que el asesinato —hablando únicamente desde el punto de vista político— es sólo un instrumento más de la lucha por el poder. En verdad ¿dónde estaría ahora Francia de no haber sido por los crímenes que se cometieron por ella? Y no hablo tan sólo del homicidio del monarca monstruoso del que acabamos apenas de liberarnos, sino también del asesinato en la guerra, de los soldados de nuestros enemigos. ¿No es una ceguera extraña de nuestra parte el enseñar en público la técnica guerrera, y premiar con medallas a aquellos que fueron los más hábiles en dar muerte, y por otra parte castigar al que aplica las mismas artes en el ajuste de una cuenta privada?

Entonces ¿es el asesinato un crimen contra la sociedad? La respuesta se impone nuevamente. ¿Qué diferencia constituye para la sociedad la existencia de un miembro más o menos? Ninguna.

Para terminar, ¿dónde queda el asesinato respecto al sistema republicano? Como lo he demostrado antes, una república está invariablemente acosada por enemigos que intentan dominar a sus ciudadanos; para evitar que lo consigan deberá hacer la guerra, y ésta implica asesinatos. Por ende, únicamente respecto al sistema republicano, un espíritu homicida —si se quiere hasta una ferocidad, una rudeza— no sólo es deseable, sino esencial, pues sin él la república no tardaría en caer.

Por tanto, aun cuando objetemos el asesinato, debemos admitir que no viola ni las leyes de la naturaleza, ni las de la política, que no ofende a la sociedad, y que de ningún modo es incompatible con los principios de la república. Además, si contemplamos el asunto con imparcialidad, veremos que hay circunstancias en las que el asesinato se convierte casi en una necesidad. Voy a explicarme.

En una monarquía, la riqueza del rey se cuenta según el número de sus súbditos; el aumento de población es por esta causa deseable, y se fomentan los nacimientos. ¿Esto explica la posición tradicional contra la teoría anticonceptivista que siempre ha asumido la apologista perpetua de la monarquía, la Iglesia Católica Romana? Sin embargo, en una república, donde cada miembro de la raza es soberano, resulta necesario exigir una barrera contra el exceso de población; porque cuando el número de los habitantes supera los medios de subsistencia, el estado —y todos los que en él vivan— habrán de sufrir.

Ahora bien, si por consideración a la salvaguardia del estado concedemos a los soldados el derecho de matar a nuestros enemigos, también deberíamos, por consideración al bienestar del estado, conceder a cada individuo el derecho —que no es incompatible con la naturaleza, la sociedad, la política ni el sistema republicano— de deshacerse, desde el nacimiento, de los hijos que bien sabe no podrá alimentar. También, deberíamos ser capaces de disponer de los que han nacido sin las cualidades que les permitirían ser algún día útiles al estado. ¿Acaso no podamos el árbol cuando tiene demasiadas ramas? ¿No quitamos los vástagos que visiblemente debilitan el tronco? Acepto que puede ser injusto —e imprudente— matar a un ciudadano bien formado y tal vez valioso; pero es a la vez conveniente y juicioso impedir que llegue a nuestra sociedad algún miembro con incapacidad congénita para contribuir con algo a su bienestar; la especie debe expurgarse desde la cuna; hay que cauterizar las heridas; todas las criaturas de las que se puede prever que se convertirán en cargas y no en ventajas, deberán ser privadas de la vida en el momento de recibirla.

Finalmente, se debería permitir que un ciudadano —de su cuenta y riesgo como es natural—, se librara por medio del asesinato de cualesquiera personas que pudiera considerar capaces de perjudicarlo. "Pero entonces" preguntarán "¿qué impediría que el hombre asesinara a voluntad?" Esto les diré en principio; como republicanos, debemos tener un punto de vista positivo de nuestros conciudadanos; debemos considerarlos como seres racionales que no causan males sin motivación suficiente; segundo: Debemos tener fe en el freno más natural contra el asesinato, o sea el temor a las represalias por venganza; como dijo Luis XV a un asesino convicto, en uno de sus escasos momentos de circunspección: "Te indulto, pero indulto también a quien te mate". Además, la carencia de estructuras en contra del asesinato puede considerarse como de efecto saludable para la sociedad en conjunto; si un hombre sabe que sus delitos contra el prójimo pueden vengarse por medio de su asesinato, y si este asesinato puede cometerse impunemente, se mostrará menos propenso a cometer daños contra los demás.

En resumen: El asesinato es una cosa horrible, pero necesaria; en algunos casos debería fomentarse para beneficiar a la sociedad en general; en otros reprobarse; pero en ninguno de los casos debería considerarse como un crimen. Y viéndolo como un medio para enseñar a los ciudadanos a que diriman pacíficamente sus problemas personales, el estado debería suprimir de inmediato todos los asesinatos públicos: la guerra (excepto en defensa contra una agresión enemiga en suelo francés), el asesinato por la policía al intentar detener a un sospechoso, y en especial la pena capital.

Esta última institución —el asesinato para castigar el asesinato— es tal vez la que más ofende la sensibilidad del republicano. ¿Puede haber afrenta mayor contra la razón que dar muerte a un hombre para castigarlo por haber dado muerte a otro? Si lamentamos la pérdida de la primera vida, ¿por medio de qué deducción llegaremos a creer que vamos a enmendarla con una muerte más? El asesinato es un delito o no lo es; si no lo es ¿por qué castigarlo? Y si lo es ¿por qué lógica tortuosa vamos a clamar justicia repitiendo el mismo delito que tratamos de castigar?

Estas son algunas reflexiones sobre el tema de la ley. Nuestros antepasados, dominados por la religión, intimidados por reyes tiránicos, consideraban criminales muchísimas actividades; nosotros, liberados del yugo de monarcas y sacerdotes, podemos tirar la venda que les cubría los ojos al mismo montón de basura en que reposa hoy el cadáver decapitado de nuestro déspota.

Franceses: Estamos viviendo el proceso de un renacimiento. Pronto contemplará el mundo las alturas sublimes hasta las que pueden elevarse el carácter y el genio francés. Pero la batalla no se ha ganado aún; la victoria —y la república— no están afianzadas todavía. Es necesario un esfuerzo más.

Compatriotas, debemos defender —a costa de nuestra fortuna y hasta de nuestra vida misma— la libertad que ha cobrado ya tantas víctimas. Debemos fincar leyes justas en sus nobles triunfos. Que sean pocas, pero que sean buenas; y ante todo, que sean bondadosas, como el pueblo al que han de servir. Y, franceses, que las leyes sirvan siempre al pueblo, que nunca el pueblo sea servidor de las leyes.

Pronto arrojaremos al enemigo más allá del Rhin. Entonces, que su deseo de compartir sus principios no los lleve más allá de las fronteras de Francia. Quédense en casa, restauren las industrias, revivifiquen el comercio, impartan un nuevo aliento a las artes y la cultura. Que los tronos de Europa caigan por su propia inercia; ustedes no tienen por qué contribuir a su ocaso, como no sea por medio del ejemplo. Unidos en el interior, impenetrables desde fuera, siendo sus leyes y su gobierno un modelo para todas las razas, establecerán entonces una norma para el mundo entero. Ninguna nación dejará de imitarnos; ninguna podrá por menos que enorgullecerse de su alianza con nosotros.

Otro esfuerzo más, franceses, antes de que puedan llamarlos republicanos... y su república vivirá por siempre en las mentes y los corazones de todos los hombres.

Saint Ange,
Eugenia, Dolmancé,
El Caballero y Agustín

Escenario: El tocador de Saint Ange. Se levanta el telón mientras todos aplauden la lectura del Caballero.

TODOS: *(Menos el Caballero.)* ¡Muy bien, muy bien, Caballero! ¡Bien dicho! ¡Bravo!

SAINT ANGE: Un documento bien redactado es ése: lúcido, claro, va derecho al asunto...

EUGENIA: Es verdad. Y me parece muy de acuerdo con las teorías de Dolmancé... tanto, que no me asombraría que fuera él el autor.

DOLMANCÉ: Bueno, mi modo de pensar corresponde hasta cierto punto con esas reflexiones; mis pláticas de esta tarde, aquí mismo, tienden a confirmarlo casi hasta el punto de prestar a la lectura una sensación de ser algo ya oído.

SAINT ANGE: Bueno, no tiene nada de malo. Las palabras buenas y sabias nunca se repiten bastante.

DOLMANCÉ: ¡Qué razón tienes! Y ahora que lo pienso, lo mismo puede decirse de las acciones buenas y sabias... por ejemplo el joder; y un buen ejemplo, sin duda.

EUGENIA: ¡Ah, Dolmancé! ¿En verdad te agradaría joderme de nuevo tan pronto?

DOLMANCÉ: No a ti, chiquilla. No intento ofenderte, pero estaba pensando en Agustín. Es asombroso cómo he tenido constantemente presente el espléndido culo del muchacho durante la lectura; en realidad, cada una de las frases magistralmente dichas por el Caballero parecía referirse al tema...

EL CABALLERO: Tal vez porque mi voz tiene forma de pera.

DOLMANCÉ: (*Ignorando el chiste.*) Bueno, ven acá, Agustín, adorable patán. ¿Qué estás esperando?

SAINT ANGE: ¡Quién lo creyera! El simplón se ha quedado dormido.

DOLMANCÉ: ¡Por Lucifer! Hay que acreditárselo a la tonada en forma de pera del Caballero... (*Sacudiendo a Agustín.*) Despierta, bobo jodón. Ya es hora de poner de nuevo a trabajar ese incomparable talento que tienes.

AGUSTÍN: (*Frotándose los ojos.*) ¿Qué sucede? ¿Qué está pasando?

DOLMANCÉ: No te preocupes por nada, dulzura. Sólo quiero joderte. Ven, ponte ahí delante de mí mientras me siento en la cama... ¡Eso es! ¡Caray, qué

benditas nalgas! ¡Qué blancas y firmes!... Vamos
Eugenia, arrodíllate delante de él y llénate la boca
de verga. Si te apresuras, todavía puedes pescarla
mientras está blanda. Entonces disfrutarás el placer
de sentir cómo surge a la vida en tu boca... Ahora,
Caballero, arrodíllate detrás de ella y mete el palo
en su lindo culo...

EL CABALLERO: A mí me gustaría más su lindo coño...

DOLMANCÉ: Como gustes, entonces. En esa postura es tan fácil una cosa como otra. Adelante. Quiero
oír el chasquido del jugo sexual cuando penetres...
¡Maravilloso, maravilloso!... Ahora, Saint Ange,
toma un látigo en la mano y monta a lomos de
Agustín. En esa posición tu culo estará frente a mí
mientras lo jodo a él, y ¿quién sabe? tal vez se me
antoje darte un besito. Mientras tanto, tiende el
brazo por encima de Eugenia y azota al Caballero.
Con un pequeño estímulo de parte tuya, puede sentir inspiración y poner a trabajar su plátano con
mayor vigor... Eso es. Ya estamos todos dispuestos.
Adelante... Hagan lo mejor que puedan, amigos
míos. El libertinaje exige esfuerzo... ¡Caray, Agustín,
se te ha apretado el culo muy de repente! Habrá
sido la siesta. Bueno, creo que podremos abrirlo...
Verás qué suavemente entramos una vez que se ha
logrado la penetración inicial... Ahora Saint Ange,
puesto que tienes el culo tan convenientemente
colocado frente a mi cara, ¿te molestaría que yo
pinchara y mordiera tu carne al joder al gran jodón
que tengo aquí?

SAINT ANGE: Con mucho gusto... pero no te asombres si recibes un pedo o dos en la boca mientras lo haces.

DOLMANCÉ: ¡Por la vulva de santa Verónica! ¿De verdad? Apuesto a que no... *(Ella lo complace.)* ¡Ah, es delicioso! ¿Me darás otro si vuelvo a morderte?

SAINT ANGE: Inténtalo y verás.

DOLMANCÉ: ¡Ahhhhhh! *(Muerde, y se ve debidamente recompensado.)* ¡Joder, menuda fuerza tiene! ¡Y qué impacto! ¡Y qué aroma, madáme! ¡Nadie podría pedir nada más dulce!

SAINT ANGE: *(Con coquetería)* Quizá si muerdes más fuerte saldrá otro más dulce aún.

DOLMANCÉ: Bueno, a ver. *(Muerde con fuerza tremenda, y la recompensa le viene en proporción.)* ¡Ay, por todos los santos y ángeles rascaculos! No hay un oledor de pedos en los seis continentes que no recordara éste por el resto de sus días. ¿Dime, madame, qué has comido hoy?

SAINT ANGE: Amigo mío, nunca divulgo mis secretos profesionales.

DOLMANCÉ: Bueno, no importa. Te daré una palmada. Veamos qué tipo de recompensa produce. *(El le pega y ella responde.)* Un poco tímido, igual que el estímulo. Pero espero que no estarás quedándote sin aliento, ángel mío. Quisiera un buen ventarrón para el momento culminante.

EL CABALLERO.— Será mejor que se apresuren si quieren que el momento coincida con el mío. Este precioso coño de Eugenia me ha puesto frenético...

DOLMANCÉ: Sí, ya se acerca el momento... Ah, madame, muestra tu talento... ¡Me vengo!... (*La muerde y la golpea y ella lo recompensa más allá de sus esperanzas.*) ¡Ah, qué pedos! ¡Qué placer! ¡Qué gozo!

EL CABALLERO: ¡También yo me vengo, amigos jodones! ¡Ay, Eugenia, coño mío! ¡Ay, dulce carita de coño jodón!

AGUSTÍN: ¡También yo! ¡Jesús, cómo chupa!

DOLMANCÉ, EL CABALLERO y AGUSTÍN: ¡Ahhhhhh, qué placer!

EUGENIA: (*Levantándose y dejando escapar semen de los dos lugares por los que la han penetrado.*) ¡Oh, Dolmancé, mira cómo me han dejado tus apóstoles! ¡Estoy chorreando por las dos partes!

DOLMANCÉ: (*Poniéndose en posición detrás de ella.*) Chiquilla, aprieta bien el culo ahora, quiero algo de eso... ¡Vamos! (*Aplica su boca al ano de ella.*) Ahora puedes aflojar...

EUGENIA: (*Haciendo lo que le dicen.*) ¡Qué calaverada! ¡Es delicioso!

DOLMANCÉ: (*Tragando.*) No hay nada que pueda compararse con un buen trago de semen salido del culo de una chica hermosa. Es alimento para dioses. (*Traga otro tanto, y se vuelve a agachar.*) ¡Hecho...! Creo que con esto ya te he dejado limpia ¿no? (*Se pone de rodillas delante de Agustín, de cuyo ano extrae su semen.)* Bien, Caballero, los extremos se tocan; si mi estómago fuera una matriz se estaría preparando para alimentar a tu descendencia y a la mía como hermanos.

EL CABALLERO: En vista del camino que han tomado, creo que se podría decir que eran hijos de la mierda.

AGUSTÍN: ¿Qué has querido decir, Dolmancé?

DOLMANCÉ: No te importa, estúpido jodón. Tenemos otras cosas en qué pasar el tiempo. *(A los demás.)* Amigos míos, si nos permiten a este vergón imbécil y a mí unos instantes, quisiéramos ir a un cuarto contiguo y pasar un rato a solas.

SAINT ANGE: Pero ¿no puedes hacer aquí lo que sea que quieras hacer con él?

DOLMANCÉ: No, madame; hay algunos proyectos lo bastante delicados como para ocultarlos hasta a libertinas como tú.

EUGENIA: No debes tener secretos para tu alumna, Dolmancé. ¿Qué vas a hacer?

SAINT ANGE: Si no nos lo dices, no te dejamos ir.

DOLMANCÉ: *(Tirando de Agustín.)* No, madame, de veras no te lo puedo decir.

SAINT ANGE: ¿En verdad piensas que existe alguna empresa demasiado atrevida como para que no podamos presenciarla nosotros?

EL CABALLERO: Espera, hermana. Yo te diré. *(Susurra algo al oído de Saint Ange y Eugenia.)*

EUGENIA: *(Poniéndose las manos en el estómago como para vomitar.)* Tienes razón, es asqueroso.

SAINT ANGE: Bueno... casi asqueroso.

DOLMANCÉ: Entonces comprenderán que necesito estar en privado.

EUGENIA: ¡Claro que sí! Pero, si lo deseas, iré contigo para masturbarte mientras lo haces.

DOLMANCÉ: No, niña. Hay momentos en que un hombre necesita estar a solas. *(Sale, llevándose a Agustín.)*

(Telón)

Saint Ange, Eugenia y El Caballero

La misma escena, unos segundos después.

SAINT ANGE: ¡Ay, hermano! Tu amigo Dolmancé es tan pícaro como decías.

EL CABALLERO: ¿Te agrada, madame?

EUGENIA: Una no puede menos que quererlo.

(Suena una campanilla)

EL CABALLERO: ¡Maldición...! ¿quién podrá ser?

SAINT ANGE: He dado órdenes muy estrictas de que nadie nos moleste.

EUGENIA: ¡Oh, cielos!, ¡Nos van a descubrir! *(Empieza a llorar.)*

EL CABALLERO: A callar, niña. Yo veré quién es. *(Sale, y vuelve con una carta.)* Un mensaje para ti, querida hermana.

SAINT ANGE: *(Examinándola.)* ¿Qué es esto? ¡Eugenia, es de tu padre!

EUGENIA: ¡Ay! ¡Estoy perdida!

EL CABALLERO: No pierdas la cabeza. Tal vez no sea nada. Saint Ange, lee en voz alta.

SAINT ANGE: *(Leyendo.)* "Mi querida Saint Ange: Por muy increíble que parezca, mi esposa se ha inquietado por la visita que Eugenia hace a tu casa, y sale ahora mismo con la intención de traerla de vuelta a su hogar. Te ruego que no dejes a mi hija bajo ningún pretexto con esa horrenda mujer. Haz lo que quieras para impedirlo. Te respaldaré en todo".

EL CABALLERO: Bueno, no está tan mal la cosa ¿verdad?

EUGENIA: ¿Mal? ¡Es un mensaje celestial! Inspirada por sus brillantes discursos sobre la libertad, amigos míos, ya sé exactamente cómo voy a entendérmelas con la vieja puta.

SAINT ANGE: ¿He oído correctamente, Eugenia?

EUGENIA: Sí, amor mío. Has oído bien.

SAINT ANGE: ¡Oh, cómo se enorgullecería de ti Dolmancé!

(Entra Dolmancé con Agustín)

DOLMANCÉ: Claro que me enorgullezco. Si perdonan que haya escuchado detrás de la puerta, madame... pero estaba justo fuera, y no tuve más remedio que oír. La llegada de madame de Mistival no podía haber estado mejor programada. ¿Estás totalmente preparada, Eugenia, para llevar nuestros principios a la práctica?

EUGENIA: Más que preparada, querido mío, anhelante. Y que me fulmine un rayo si flaqueo en mi resolución. Amigos, déjenme a mí la ejecución.

SAINT ANGE: *(Poniéndose la mano alrededor de la oreja para escuchar mejor.)* ¡Silencio! Oigo ruido. ¿Será ella?... Ten fe, Eugenia, y valor. Recuerda nuestros principios...

(Telón)

Todos

La misma escena. Entra madame de Mistival.

MISTIVAL: *(A Saint Ange.)* Te suplico me perdones que haya llegado sin anunciarme, madame. Sin embargo, tengo entendido que mi hija se encuentra contigo. Debido a la edad que tiene no le permito que salga sin compañía, de modo que confío en que no te importará devolvérmela de inmediato.

SAINT ANGE: *(Con altanería.)* Madame, tus modales son imperdonables. Juzgando por tu actitud, se diría que no apruebas la compañía en que se encuentra...

MISTIVAL: Señora, encuentro a mi hija en un tocador con una mujer y otros tres hombres, todos ellos por completo desnudos. Te dejo que decidas si lo apruebo o no.

DOLMANCÉ: Madame de Mistival, permíteme decir que considero tus modales indebidamente rudos. No te ocultaré el hecho de que si yo fuera madame de Saint Ange, a estas horas ya habrías recibido una patada en el culo.

MISTIVAL: ¡Una patada en el...! Señor, te advierto que no soy del tipo de mujeres que reciben patadas en el... bueno, quiero decir que no acostumbro que me hablen en forma tan vulgar... Eugenia, esto es todo lo que puedo soportar; vístete y sígueme rápido.

EUGENIA: Lo siento, madame, pero no puedo acceder a lo que pides.

MISTIVAL: ¡Qué es esto! ¿Desobedecerme... mi hija...?

DOLMANCÉ: ¡Por el carajo y los huevos de Dios! No sólo te desobedece, señora, sino que lo hace sin pudor. *(Con sarcasmo.)* De ser tú, yo no lo toleraría. ¿Quieres que mande traer algunas fustas para que apliques el castigo que esta niña incorregible merece?

EUGENIA: Si traen fustas, me temo que no será madame de Mistival quien propine los golpes, sino quien los reciba.

MISTIVAL: ¿Qué dices, miserable pícara? *(Trata de agarrarla.)*

DOLMANCÉ: No tan de prisa, señora. *(Se pone entre las dos.)* Aquí no toleramos faltas de tacto. Podemos vestirnos como granujas —o mejor dicho, desvestirnos— pero no toleramos modales de patanes.

MISTIVAL: ¿Acaso interferirás, señor, con el ejercicio de los derechos naturales de una madre sobre su hija?

DOLMANCÉ: ¿Derechos, madame? ¿Has dicho derechos? ¿Y en virtud de qué autoridad te atreves a reclamarlos? Cuando tu esposo o quien fuera, depositó en tu rajada cochina el jugo que finalmente emergió en forma de hija, ¿estabas pensando en el futuro de ella, o en tu deleite? Me atrevo a decir que en esto último. Entonces ¿por qué esperas que ella se sienta hoy obligada contigo? ¿Por el hecho de que permitiste que alguien te jodiera? Las putas permiten que cualquiera las joda veinte y treinta veces al día; si se aplicara tu lógica ¿no debería Eugenia sentirse veinte o treinta veces agradecida a ellas también?

MISTIVAL: ¡Pero la he colmado de cuidados! ¡La he educado!

DOLMANCÉ: ¿De veras? Bueno, examinemos entonces esas pretensiones. En cuanto a los cuidados, si no me equivoco, las leyes los hacen obligatorios... por no decir nada de la costumbre y la vanidad. En todo caso, tú quisiste darlos, y ella no te los pidió, por lo que nada te debe. En cuanto a la educación, has realizado la tarea en forma pésima. Hemos tenido que pasarnos los cuatro el día entero, contrarrestando los principios aborrecibles con que has llenado esa pobre cabecita. Le has enseñado, por ejemplo, que hay un Dios que es bueno, y ésa es la peor mentira que existe. Luego le enseñaste que Jesucristo era su único hijo concebido... una falsedad descarada, por no decir más. Y después le enseñaste que joder era malo... pero, como ha podido comprobarlo esta tarde, es la cosa más deliciosa del mundo. ¿Cuidados y educación, eh? ¿Y es eso lo que debería agradecer? Madame, basándome en lo que he visto, lo único que te debe es desprecio.

MISTIVAL: ¡Santo Dios de los cielos! Mi hija ha sido secuestrada por locos... ¡Oh, Eugenia, mi querida Eugenia! Escucha las súplicas de la mujer que te dio la vida; apártate de la compañía de estos perversos y vuelve conmigo. *(Cae de rodillas.)* Por favor niña, me dirijo a ti en actitud de súplica...

DOLMANCÉ: ¡Conmovedora escena, madame!, tienes mucha habilidad para sacar las lágrimas a relucir... Eugenia, ya has oído las súplicas de tu madre. Te está esperando.

EUGENIA: *(Desnuda, como recordará el lector.)* ¿Estás de rodillas, señora? Perfecto, así no tendrás que agacharte para besarme el culo. *(Se inclina, presentándole las nalgas.)* Ahí lo tienes, madame. Pon los labios ahí mismo y chupa, tengo un buen bocado de mierda esperándote... ¿Qué tal el estilo, eh, Dolmancé? ¿Estás orgulloso de tu discípula?

DOLMANCÉ: ¡Bravo, linda, bravo!

MISTIVAL: *(Volviendo la cara llena de horror.)* ¡Bruja! ¡Te desconozco para siempre! ¡Ya no eres mi hija!

DOLMANCÉ: ¡Alto, madame! ¡Basta ya! ¡Esas palabras son ofensivas!

EUGENIA: Deja que agregue unos cuantos adjetivos, Dolmancé. Que esta ruin chupadora de verga se condene más todavía.

DOLMANCÉ: Vamos despacio, pequeña. Ahora el asunto está en mis manos. *(Dirigiéndose a Mistival, con solemnidad burlona.)* Madame, como acabas de desconocer a tu hija, has hecho surgir una cuestión jurídica interesante: ¿Con qué derecho —ahora que ya no eres su madre— impones tu presencia aborrecible a la compañía de varios ciudadanos reunidos en los límites sagrados de un hogar privado? Esto es un allanamiento, y deberá castigarse. Ten la bondad de retirar tus ropas para no obstaculizar los golpes a que tu atrevimiento te ha hecho merecedora.

MISTIVAL: *(Asustada.)* ¡Que me desvista, dices!

DOLMANCÉ: Hasta el vello del coño.

SAINT ANGE: Agustín, rústico mío, puesto que la dama se resiste, ayúdala... *(Él obedece, rasgándole con brutalidad el vestido por la espalda.)*

MISTIVAL: ¡Cielo santo! *(a Saint Ange.)* ¿Sabes, señora, lo que especifica la ley al respecto? Me están atacando en tu propia casa. ¿Acaso piensas que no me quejaré con la policía?

SAINT ANGE: No es nada seguro que tengas la capacidad de quejarte, madame.

MISTIVAL: Lo único que me lo impediría sería la muerte.

DOLMANCÉ: *(Inclinándose.)* Entonces has pronunciado tu sentencia, madame.

MISTIVAL: ¡Oh, Dios mío!

DOLMANCÉ: No permitimos esa palabra aquí, como no sea para blasfemar. ¿No quieres retractarte?

MISTIVAL: ¡Oh...!

SAINT ANGE: Perdona, Dolmancé, pero antes de que Agustín exponga ante ti el resto del cuerpo de esta mujer, te avisaré lo que te espera. La pequeña Eugenia acaba de indicarme que el señor de Mistival empleó ayer un látigo contra nuestra hermosa prisionera. Lo probable es que su belleza esté algo opacada por esa razón.

DOLMANCÉ: No ante mis ojos, madame; para mí, pocas cosas presentan tanto atractivo como una herida. (*A Agustín.*) Termina de desvestirla muchacho. Es probable que nuestros placeres sean más grandes de lo que nos atrevíamos a esperar. (*Mistival queda desnuda.*) ¡Por Satanás, menudo látigo trae ese hombre! ¡Miren ese cuerpo! No he visto ninguno más concienzudamente azotado... no sólo por detrás, sino también por delante. Apostaría a que no queda un rincón que se haya salvado de la furia de ese hombre... (*Con la mirada de súbito brillante.*) Además, ahí veo un culo precioso. ¡Ah, Eugenia! Ahora sé de quién has heredado esos exquisitos melones tuyos... (*Cae de rodillas, y se pone a acariciar y besar los objetos de su predilección.*)

MISTIVAL: ¡Quítame las manos de encima, granuja!

SAINT ANGE: (*Le abofetea brutalmente la cara.*) Cierra esa boca, señora, hasta que te digamos que puedes abrirla... Ahora eres nuestra prisionera. Podrías chillar hasta reventarte los pulmones; nadie te oiría fuera de este tocador de paredes gruesas. Además, tus sirvientes y caballos han sido despedidos, y tu esposo sabe —y aprueba— lo que estamos haciendo. Así que, la única esperanza que te queda es nuestra clemencia, y es una esperanza muy pequeña...

DOLMANCÉ: *(Sigue acariciando y azotando las nalgas.)* Hombre prevenido vale por dos, madame. Confío en que estarás más a gusto ahora que conoces con exactitud la naturaleza del peligro que estás corriendo. Tal vez deberías agradecer su sinceridad a Saint Ange.

MISTIVAL: *(Murmurando.)* ¿Por... por... qué?

DOLMANCÉ: *(Metiéndole cruelmente el pulgar en el coño.)* Dale las gracias, maldita. ¡Ya he soportado bastantes insolencias tuyas en un solo día!

MISTIVAL: ¡Ayyyyyyyyy! *(Ladea.)* ¡Oh, gracias, madame! Gracias. Gracias.

DOLMANCÉ: Así está mucho, mucho mejor. Lo cual sirve para demostrar que no hay como un piquete en el coño para conseguir que se haga lo que uno quiere... Ahora, Eugenia, ven aquí y pon el culo junto al de tu madre. Quisiera compararlos... (Eugenia obedece) ¡Por el semen de Cristo! Cualquiera diría que los han fundido en el mismo molde. ¡Cuánto me gustaría meter una verga humeante en cada uno... y tal vez lo haga! Agustín, mi buen muchacho, agarra a esta preciosa criatura para que no pueda resistir a mi ataque...

AGUSTÍN: *(Obedece.)* Dale duro, Dolmancé.

DOLMANCÉ: Ahora saca fuerzas, madame, tengo la verga más pequeña de los aquí presentes, pero ha desgarrado más de un intestino en sus buenos tiempos... *(La penetra.)* ¡Por la verga de san Patricio! ¡Qué entrada tan fácil! Madame, apostaría que no hace mucho tiempo que se navegó por última vez en este canal... y fue un bajel cuyas dimensiones son muy superiores a las del mío...

SAINT ANGE: Habrá sido su marido, Dolmancé. Lleva un enorme trozo de carne...

DOLMANCÉ: ¡Ah. sí! Bueno, no tiene importancia. Lo único que quería era remojarme la punta, como quien dice; sólo para lubricar la bomba. Eugenia, dame el culo, chiquilla... Eso es... ¡Ahhh!, está mucho más apretado. El agua busca su nivel, como dice el dicho... Menea las caderas, niña. Menéate... retuércete... ¡Así está bien! Tienes un apretón realmente formidable...

SAINT ANGE: Si me perdonas que lo diga, Dolmancé, empiezo a sentirme algo abandonada.

DOLMANCÉ: ¡Ah, sí, señora! ¡Cuánta razón tienes!... Bueno, vamos a poner las cosas en orden. *(Se aparta de Eugenia.)* Creo que podríamos inventar algún tipo de distracción en la que todos participaran... Veamos ahora. Sugiero que hagamos partícipe a la señora de Mistival de un apareamiento múltiple... Saint Ange y Eugenia, tengan la bondad de equiparse con vergas artificiales... las más grandes que haya. *(Ellas obedecen.)* Ahora, a joder a nuestra invitada, una por el culo, la otra por el coño... así mismo.

Pero hay que dar buenas embestidas, Saint Ange.
Aquí no es oportuno el comedimiento. Imita a tu
discípula; ve con qué vigor se afana... Ahora, Caballero y Agustín, pónganse en línea atrás de las
damas. Inyecten energías en sus riñones. Para eso
harán falta miembros bien tiesos... ¡Diablos, Agustín!
¿Cómo puedes lograrlo, mi gran jodedor? Está derecho como un poste al menor roce. ¡Magnífico!
¡Magnífico...! Ahora, como quieras, podrás relevar
a una de las damas y, si a ellas se les antoja, podrán
relevarte... en rotación. Mientras tanto los que estén ociosos podrán infligir a la víctima los tormentos que se les antojen. Ahí tienes muchos látigos y
muchos bastones... ¡Oh, Agustín! Ya estás reempla-
zando a Saint Ange en el culo, tan pronto. Pues a
madame de Mistival la espera una buena sorpresa.
Empuja, gran verga, empuja, ahora aprenderá lo
que es tener dentro una verga de verdad.

MISTIVAL: ¡Cielos santos! ¡Me están abriendo en
canal!

DOLMANCÉ: Es cierto, madame. Que eso te sirva de
lección. No debes enorgullecerte por tener el culo
tan ancho; siempre hay una verga más grande en
algún lado... Muy bien, Agustín, no exageres. No
queremos que esa vieja bruja se muera antes de
haber permitido que Eugenia cobre su venganza
completa. Desensilla y déjame que le haga cosqui-
llas con mi humilde ramita un ratito... ¡Ah, madame!
estoy seguro de que sientes la diferencia. ¡Si apenas puedo tocar ambos lados del esfínter al mismo

tiempo...! Eugenia, déjale el coño al Caballero por el momento, y ven aquí conmigo. Tengo que ensartar tu culo para consolarme de haberme hundido dentro del de tu madre... También tú, Saint Ange, permite que meta los dedos en el tuyo mientras embisto a Eugenia... Quiero que me rodee una muralla de culos... Ahora, madame de Mistival, prepárate para otra sorpresa. Tengo en la mano unas pinzas que estaban por ahí, en el suelo. ¿Adivinas lo que pienso hacer con ellas? Voy a atrapar la carne de tus muslos, y entonces la retorceré hasta arrancar un trozo de carne suficiente para poderla masticar. ¿Te excita eso, paloma mía? (*Arranca un trozo.*)

MISTIVAL: ¡Ayyyyyy! ¡Ayyyy!

EUGENIA: Te admiro sin límites Dolmancé. ¡Qué coordinación! Joder un culo, embestir otro, acariciar el tercero y, mientras tanto, ¡manejar las pinzas...! Estoy segura de que serías un gran pianista si te empeñaras en ello!

DOLMANCÉ: Éste es el único piano que quiero tocar, chiquita. (*Mete la lengua en el ano de ella.*) Ahora, madame, otra vez las pinzas...

MISTIVAL: ¡Ayyyy! ¡Dios de los cielos!

DOLMANCÉ: Ruégale, querida... pero no te sorprenda que te ignore a ti como a todos los demás. Después de todo, si no interviene en guerras ni epidemias, ¿por qué va a tomarse la molestia de cuidar de una mujer insignificante... y que por añadidura tiene el culo flojo?

MISTIVAL: ¡¡Aaaayyyyyy!!

DOLMANCÉ: Gritas, puta, y el sonido de tu voz hace vibrar el centro de mi verga. ¡Ay, qué placeres! ¿Quién puede intuir lo que encierra la mente humana? ¿Por qué me deleita tu sufrimiento? Habrá que esperar de otro más sabio una respuesta satisfactoria. Lo único que sé es que mi placer es infinito... ¡Ay, me vengo! Te estrangularía, madame, si no fuera porque quiero dejar la tarea en otras manos... ¡Ah, Satanás! ¡Tremenda emoción estoy logrando esta vez! ¡Juro que te estoy echando un litro de jugo! ¡Ahhhhhhh! ¡Maldición!... Ya terminé, Saint Ange, y abandono el local. Es toda tuya...

(Saint Ange, con un miembro artificial sujeto a la cintura, empala a Mistival mientras que al mismo tiempo le mete otra, manual, por el coño. Mientras tanto, Eugenia toma las pinzas y sigue arrancando pedazos de carne de las piernas de su madre. Cuando se detiene Saint Ange, el Caballero entra en escena empalando a la víctima y golpeándole las orejas con los puños. Lo sigue Agustín que, mientras empala a la mujer, le mete un dedo en el ojo y el pulgar en la nariz, después de lo cual retuerce la mano hasta que salta el ojo y se desgarra la nariz. Durante todo el proceso, Dolmancé penetra en el ano de cada uno de los torturadores.)

EUGENIA: Dolmancé, ya desensilló Agustín ¿tomo yo su sitio?

DOLMANCÉ: Claro que sí, chiquilla. Es toda tuya.

EUGENIA: *(Se dedica a su tarea con dos miembros falsos, en la forma demostrada anteriormente por Saint Ange.)*

Bueno, mi linda madre ¿qué te parece sentir a tu hija de marido? Te parecerá extraño, pero te acostumbrarás... Pero, madre ¡si estás llorando! ¿Te duele? ¡Qué lástima! A mí no me duele. Me encanta joderte. Dolmancé, ¿puedes poner duro ese miembro de nuevo? Me gustaría sentirme penetrada mientras sigo adelante con este proceso... ¡Ah, magnífico! Siento tu ariete... ¡Contemplen, amigos! De un golpe soy adúltera, fornicadora, lesbiana, sodomita... y de remate, incestuosa. Todo esto lo hace una muchacha que ha perdido la doncellez hace sólo pocas horas. ¡Qué modo de progresar!... ¡Madre, mi buena madre! ¿Puedo dar crédito a mis ojos? Me parece que... de veras que sí, Dolmancé, mírala, se está viniendo.

DOLMANCÉ: ¡Por Lucifer, es verdad! Se nota en su mirada.

EUGENIA: ¡Pronto, las pinzas! (*Se pone a arrancarle la carne de los pechos mientras la tiene empalada.*) ¡Ah, joder, mamá! ¡Te jodo! ¡Joder, digo! Dolmancé, también yo me vengo. ¡Ahhhhh, qué placer! (*Al lograr el orgasmo, Eugenia arranca del pecho de su madre un trozo de carne del tamaño de un puño.*)

MISTIVAL: Tengan compasión de mí... creo que me desmayo... (*Cae al suelo.*)

DOLMANCÉ: Ahora comenzamos en serio... amigos. No hay nada tan agradable para los sentidos como cometer ultrajes en un cuerpo inconsciente... Eugenia, ponte encima de tu madre. Ahora tú, Caballero, penetra a la muchachita encantadora. Mientras tanto

Saint Ange puede meter la mano por debajo para introducir el dedo en el culo de Eugenia, y Eugenia nos puede masturbar a Agustín y a mí... Juraría, chiquilla, que tu madre nunca había imaginado que su cuerpo podría servir de cama para un acoplamiento tan lúbrico.

EUGENIA: De seguro no.

EL CABALLERO: Pero, Dolmancé, tengo que protestar por estos ultrajes. Lo que estamos haciendo viola todos los dogmas de la naturaleza.

DOLMANCÉ: Estás revelando tu falta de refinamiento, mi joven amigo. Lo que hacemos es escuchar la voz de la naturaleza.

(Se lleva a cabo el proyecto. Todos se levantan.)

EL CABALLERO: La señora no se mueve, Dolmancé. Creo que ya se murió.

DOLMANCÉ: ¿Muerta? ¡No lo creo! ¡Sólo desmayada! Pero no le durará mucho. ¡Látigos! ¡Que me den unos cuantos látigos! La despertaremos a latigazos. *(Saint Ange le da unos látigos y comienza.)* Mientras tanto, Agustín, corre al jardín y tráeme unas cuantas espinas. Ahora se imponen torturas más atroces...

EL CABALLERO: Sigue sin moverse, Dolmancé. Temo que la hayamos matado.

EUGENIA: ¡Oh, carajo! Ahora tendré que vestirme de negro todo el verano, y me acabo de comprar el vestido rojo más bonito...

SAINT ANGE: *(Soltando la carcajada.)* ¡Qué chistoso, chiquilla! ¡Te amo! *(Mete la lengua en la vagina de Eugenia.)*

DOLMANCÉ: *(Tomando las espinas que le da Agustín.)* Ahora veremos si está muerta. *(Las clava en la cabeza de Mistival.)* Ven, Eugenia, chúpame la verga mientras continúo. Y, Agustín, maneja el látigo, muchacho, párteme el lomo. Nada me complace más que sentir dolores mientras los causo... Ahora, Caballero como no tienes nada mejor qué hacer, ¿qué te parece joder a Saint Ange? Toma una posición que me permita empalarte el culo mientras tanto.

EL CABALLERO: Amigo mío ¿no hay modo de disuadirte de esa maldad?

DOLMANCÉ: Me temo que no.

EL CABALLERO: Entonces, supongo que lo mejor será inclinarme. Ven, hermana; manos a la obra...

(Se lleva a cabo el proyecto. Mientras lo realizan, Mistival se mueve.)

DOLMANCÉ: Ahí tienen, amigos. ¿Lo ven? El tratamiento es eficaz. Ya revive.

MISTIVAL: Bribones. *(Abre los ojos.)* Me traen de nuevo a este mundo. ¿Por qué no pueden dejarme morir en paz?

DOLMANCÉ: *(Sigue azotándola y picándola con espinas.)* Te hemos revivido, señora, para que puedas saber algo de la vida de libertinaje antes de morir. Da la casualidad que mi lacayo Lapierre, que está esperando ahí fuera con mi carroza, padece uno de los casos de sífilis más horribles que haya conocido la ciencia médica. Voy a permitirle que te joda el coño y el culo, después de lo cual te dejaremos en libertad. Por el resto de tu vida los gérmenes de esa enfermedad terrible te roerán las entrañas y te servirán de advertencia para que no interfieras cuando tu hija salga para que la jodan. *(Todos aplauden su ingenio. Viene el lacayo.)* Lapierre, jode a esta mujer.

LAPIERRE: ¿Ahora, señor? ¿Delante de todos?

DOLMANCÉ: ¿Y por qué no?

LAPIERRE: Como digas, señor *(Extrae su miembro.)* Madame ¿quieres ser tan amable de prepararte?

MISTIVAL: ¡Qué triste suerte la mía!

EUGENIA: Siempre es mejor que morir, mamá. Además, así no me tendré que vestir de luto durante todo el verano.

DOLMANCÉ: Así es como se embiste, Lapierre. La estás empalando como un viejo profesional ... Bueno, amigos, no existe razón alguna para que no nos divirtamos mientras ese muchacho se ocupa de infectarla. Vamos a tomar látigos y a azotarnos mutuamente. Saint Ange, azota a Lapierre; así agregará fuerzas a su eyaculación, y estaremos seguros de que el esperma sifilítico se abrirá camino hasta dentro del coño. Entretanto yo te flagelaré mientras Eugenia hace lo mismo conmigo, Agustín con ella y el Caballero con él. *(Así se organiza.)*

LAPIERRE: *(Acelerando sus movimientos.)* Me vengo, amo... ¡Ahhhhhhh, qué placer!

DOLMANCÉ: Está bien. Ahora, dale vuelta y dispárale otra vez por el culo. *(Se lleva a cabo el proyecto.)* Muy bien hecho, muchacho; ahora, mete esa culebra infectada en los calzones y vuelve al carruaje. En cuanto a ti, madame de Mistival, has contribuido lo suficiente a nuestras diversiones por hoy. Puedes irte...

EUGENIA: ¡Espera, Dolmancé! ¿Qué pasará con el veneno que lleva dentro? ¿No corremos el riesgo de que se escape?

DOLMANCÉ: Es imposible, chiquilla.

EUGENIA: Pienso, señor, que es posible. Podría cagarlo y mearlo todo. No podemos arriesgarnos.

DOLMANCÉ: *(Que vislumbra un destello perverso en la mirada de la joven.)* Entonces ¿qué sugieres, chiquilla?

EUGENIA: Que cosamos los dos agujeros. Saint Ange ¿tienes hilo y aguja?

SAINT ANGE: Claro, voy por ellos.

DOLMANCÉ: Es una sugerencia fenomenal, chiquilla. Tienes una imaginación sin límite.

EUGENIA: *(Toma de manos de Saint Ange una aguja enorme y una hebra de hilo encerado rojo.)* Abre las piernas, mamá. Tu hija te servirá de cirujano. *(Cose.)*

MISTIVAL: ¡Ay, qué dolor!

EUGENIA: *(Pinchándole el estómago experimentalmente, luego los muslos, la pelvis y la vulva.)* No es nada, madre. Sólo estoy probando la aguja.

DOLMANCÉ: Saint Ange, acércate y mastúrbame mientras contemplo todo esto. Tu encantadora discípula muestra una perversidad que me excita más allá de lo creíble... ¡Magnífico trabajo, Eugenia! ¡Has nacido para costurera! Pero asegúrate de que no dejas demasiado espacio entre dos puntadas...

EUGENIA: Menos consejos, Dolmancé, y más acción. Ven a masturbarme mientras sigo atareada.

DOLMANCÉ: ¡Ah, qué fierecilla! Niña querida, eres lo bastante excitante para hacerme renunciar a los muchachos.

EUGENIA: No tienes que renunciar a nada, amigo mío. Hay espacio suficiente en tu vida para ambos sexos... Pero ¿acaso no tienes más que una mano? ¿Entonces por qué sólo me frotas el coño? Hay un culo muy cerca; ten la bondad de frotármelo también.

DOLMANCÉ: ¡Por la pelvis de María Magdalena, cómo me excita esta niña! ¡Ah, qué placer, niña! ¡joder, te digo; joder, joder!

EUGENIA: Bien, madre, creo que ya está. Mira qué bien y qué apretado te he cosido el coño.

MISTIVAL: ¡Oh, malvada! Lamento el día en que naciste.

EUGENIA: Poco a poco, señora. Hay rencor en esa declaración, y lo resiento... Ahora date vuelta; quiero coserte el culo.

DOLMANCÉ: Oh, deja que lo haga yo, niña querida. ¡Cómo me has excitado! *(Toma la aguja y cose.)* Voy a hacer picadillo con tus nalgas, madame. Eugenia, juega con mi verga mientras termino la tarea...

EUGENIA: Sólo con una condición, señor, que la cosas más enérgicamente. Estás mostrando una dulzura que no es digna de ti.

DOLMANCÉ: Como digas, niña. Como digas, querido coño-culo-jodedor.

EUGENIA: ¡Ese es un buen ritmo! La estás rebanando como si fuera un trozo de carne.

DOLMANCÉ: Sí, pero estás olvidando tus lecciones. Acabas de cubrir la cabeza de mi verga.

EUGENIA: Bueno, hay que vivir para aprender. ¿Así está mejor?

DOLMANCÉ: Mucho mejor. ¡Ay, dulce Dios empalador de culos, me muero de placer! ¡Qué dura se me pone la verga! Agustín, Caballero, jodan a Saint Ange mientras los observo. Uno por el culo y el otro por el coño. Eso es, colóquense frente a mí. Quiero ver culos, sólo culos... *(Al asumirse la posición, hinca la aguja con mayor crueldad que nunca.)* Toma, señora: toma ésta. Y ésta. Y ésta.

MISTIVAL: ¡Ay, señor, cómo **duele**...!

DOLMANCÉ: *(Loco de goce.)* Sí, háblame de ello. Escuchar tus lamentos sólo aumentará mis placeres... ¡Ah, no he tenido tan dura la verga en años! Agáchate, Eugenia, te voy a llenar la boca de jugo.

SAINT ANGE: ¡Ay, amigos... me vengo!

AGUSTÍN: También yo.

EL CABALLERO: Y yo.

DOLMANCÉ: *(Picando a Mistival con la aguja con mayor salvajismo que nunca.)* Todos nos venimos juntos, amigos.

TODOS: ¡Ah, qué placer! ¡Ahhhhhhhh joder!

(Se disuelve la formación)

DOLMANCÉ: Bueno, amigos míos, éste ha sido un clímax apropiado para esta tarde. En cuanto a ti, madame de Mistival, puedes vestirte y salir de aquí cuando quieras. Vete sin odio, pues no hemos actuado por maldad sino porque la naturaleza nos ha incitado a hacerlo así. Y recuerda siempre esta tarde adonde vayas, porque si vuelves a interferir con las actividades de tu hija, la sesión se repetirá. *(Le besa la mano.)* Te deseo buenas tardes, madame... y para que no haya malentendido repito un sentimiento expresado ya: Tu hija tiene edad suficiente para ser su propia dueña; le gusta, le encanta joder; ha nacido para joder y va a joder hasta que se muera; por tanto, no trates de reprimirla... Ahora, Caballero, ten la bondad de acompañar a madame de Mistival hasta su carruaje.

(Salen El Caballero y Mistival)

EUGENIA: ¡Ah, carajo! ¡Qué buena tarde! Amigos míos, estoy en deuda con ustedes por el resto de mi vida.

SAINT ANGE: Ha sido un placer para nosotros, amor, un placer.

DOLMANCÉ: ¡Un verdadero placer! Y ahora, amigos míos, vamos a cenar. Estas actividades me han abierto el apetito. Después de la cena los cuatro podremos retirarnos a la misma cama y continuar la amistad deliciosa iniciada esta tarde...

Donatien Alphonse François de Sade
París: 1795

Índice

Prólogo 5

Personajes 15

Dedicatoria 17

Saint Ange y el Caballero 19

Saint Ange y Eugenia 31

Saint Ange, Eugenia y Dolmancé 33

Saint Ange, Eugenia, Dolmancé
   y el Caballero 71

Saint Ange, Eugenia, Dolmancé,
   El Caballero y Agustín 77

El Caballero 105

Saint Ange, Eugenia, Dolmancé,
   El Caballero y Agustín 131

Saint Ange, Eugenia y El Caballero 139

Todos 143

TÍTULOS DE ESTA COLECCIÓN

Antonio y Cleopatra. *William Shakespeare*

Casa de Muñecas. *Henrik Ibsen*

Cyrano de Bergerac. *E. Rostand*

Don Juan Tenorio. *José Zorrilla*

Edipo Rey, Edipo en Colona, Antígona. *Sófocles*

El Abanico de Lady Windermere. *Oscar Wilde*

El Mercader de Venecia. *William Shakespeare*

El Rey Lear. *William Shakespeare*

El Teatro y su Doble. *Antonin Artaud*

Fausto. *W. Goethe*

Filosofía del Tocador. *Marqués de Sade*

Hamlet. *William Shakespeare*

**La Fierecilla Domada /
    Sueño de una Noche de Verano.** *W. Shakespeare*

La Importancia de Llamarse Ernesto. *Oscar Wilde*

Macbeth. *William Shakespeare*

Otelo. *William Shakespeare*

Romeo y Julieta. *William Shakespeare*

Tristán e Isolda. *Richard Wagner*

Impreso en Offset Libra

Francisco I. Madero 31

San Miguel Iztacalco,

México, D.F.